LA LIBRAIRIE DU XXIᵉ SIÈCLE

Collection
dirigée par Maurice Olender

Lydia Flem

# Comment j'ai vidé la maison de mes parents

Éditions du Seuil

ISBN 2-02-065381-8

www.seuil.com

La mort d'une mère doit être quelque chose de très singulier qui ne peut se comparer à rien d'autre et doit éveiller certainement en nous des émotions difficiles à concevoir.

Sigmund FREUD,
lettre à Max Eitingon
du 1er décembre 1929

Pour moi, ce livre a une autre signi-fication, une signification subjective que je n'ai saisie qu'une fois l'ouvrage terminé. J'ai compris qu'il était un mor-ceau de mon auto-analyse, ma réaction à la mort de mon père, l'événement le plus important, la perte la plus déchi-rante d'une vie d'homme.

Sigmund FREUD,
*L'Interprétation des rêves*,
préface, 1908

# Orage émotionnel

Un Rien,
voilà ce que nous fûmes, sommes et
resterons, fleurissant :
la Rose de Néant, la
Rose de Personne.

Paul CELAN

À tout âge, on se découvre un jour orphelin de père et de mère. Passée l'enfance, cette double perte ne nous est pas moins épargnée. Si elle ne s'est déjà produite, elle se tient devant nous. Nous la savions inévitable mais, comme notre propre mort, elle paraissait lointaine et, en réalité, inimaginable. Longtemps occultée de notre conscience par le flot de la vie, le refus de savoir, le désir de les croire immortels, pour toujours à nos côtés, la mort de nos parents, même annoncée par la maladie ou la sénilité, surgit toujours à l'improviste, nous laisse cois.

Cet événement qu'il nous faut affronter et surmonter deux fois ne se répète pas à l'identique. Le premier parent perdu, demeure le survivant. Le cœur se serre. La douleur est là, aiguë peut-être, inconsolable, mais la disparition du second fait de nous un être « sans famille ». Le couple des parents s'est retrouvé dans la tombe. Nous en sommes définitivement écartés. Œdipe s'est crevé les yeux, Narcisse pleure.

Il se peut que les liens d'alliance et ceux de l'amitié ne soient pas moins puissants que les liens de filiation, et peut-être sont-ils même bien plus heureux, mais il n'empêche qu'après la mort de nos grands-parents puis celle de nos parents, il n'y a plus personne derrière nous. Seulement, une double absence comme un terrible froid dans le dos. En disparaissant, nos parents emportent avec eux une part de nous-mêmes. Les premiers chapitres de notre vie sont désormais écrits. Il nous faut conduire en terre ceux qui nous ont transmis la vie, nos créateurs, nos premiers témoins. En les couchant dans la tombe, c'est aussi notre enfance que nous enterrons.

Combien sommes-nous à vivre sans en parler à personne ce double deuil qui nous ébranle et nous fragilise par la violence des sentiments qui nous animent soudainement ? Combien d'entre nous se sentent-ils emportés par des vagues d'émotions souvent *inavouables* ? Comment oser raconter à quiconque ce désordre des sentiments, ce méli-mélo de rage, d'oppression, de peine infinie, d'irréalité, de révolte, de remords et d'étrange liberté qui nous envahit ?

À qui avouer sans honte ou culpabilité ce tourbillon de passions si confusément mêlées qu'elles ne peuvent être nommées, qui restent innommées parce que nous les ressentons avec désarroi et gêne comme proprement innommables? Comment ne pas se sentir méprisable alors que la colère, la rancune, la haine même nous envahissent à l'égard du défunt? Est-ce bien normal d'éprouver successivement ou simultanément une impression effroyable d'abandon, de vide, de déchirure, et une volonté de vivre plus puissante que la tristesse, la joie sourde et triomphante d'avoir survécu, l'étrange coexistence de la vie et de la mort?

Combien d'enfants – nous-même peut-être – ne doivent-ils pas leur conception au désir d'opposer à la mort et à la douleur d'un deuil les plaisirs de l'amour? Qui ose évoquer la fête impudique, presque maniaque, qui s'empare parfois de nous, exacerbe nos sens, aiguise notre appétit, enfle nos dépenses? Chacun, à sa manière singulière, se trouve traversé, déporté, envahi par un orage émotionnel auquel il doit faire face, seul.

Certains s'éloignent comme la bête blessée qui lèche ses plaies loin de toute présence ; le temps ne guérit rien mais atténue la souffrance, parfois elle s'enkyste et porte témoignage d'une blessure qui ne pourra jamais se refermer. D'autres se jettent dans l'action, s'étourdissent dans les mille tracas quotidiens, les questions à régler, les dettes ou les biens à gérer, les déchirements et les règlements de compte avec la fratrie. Certains se figent dans les gestes rituels, les convenances, le savoir-vivre des endeuillés, le rang à tenir, les couleurs sombres, les phrases de circonstance. Ce qu'ils éprouvent, ils ne le laissent pas transparaître : rage, indifférence, manque d'émotion, sanglots muets de petit enfant, amertume et désespérance de n'avoir pas été assez estimé, reconnu, aimé, et de ne plus pouvoir rien attendre désormais. D'autres pourtant trouvent le chemin du pardon et nouent au-delà de la mort un lien neuf.

Se réconcilier avec ses morts, atteindre la sérénité du souvenir exige le lent dépôt du temps. Les saisons doivent reparaître une à une et la vie, pas à pas, geste après geste, l'emporter sur la mort. Si l'on traverse la tempête des sentiments sans en exclure aucun, aussi vif ou vil qu'il paraisse, si l'on donne son consentement à ce qui surgit en nous, peut éclore une légèreté nouvelle, une renaissance après le déluge, un printemps de soi-même. Même si cette double perte demeure, pour une part de soi, irréparable et scandaleuse.

Jadis, la mort était une expérience qui se vivait au sein d'une communauté, la religion et la coutume dictaient des gestes, soutenaient l'endeuillé, mais aujourd'hui le deuil appartient au seul enclos de la vie privée. Chacun enterre ses morts en balbutiant des cérémonies personnelles et se dépêche d'effacer les traces de sa perte dans la vie sociale : plus de noir ni de crêpe, plus de bruit ni de larmes, rien de solennel, aucun signe extérieur de malheur, un jour d'absence à peine et la vie reprend son cours. C'est dans la solitude que chacun se retrouve. Plus personne n'accompagne au-delà des premiers moments ceux qui sont plongés dans le deuil. Il ne se partage pas.

Rien ne s'échange non plus sur les longs mois, les années difficiles, qui souvent précèdent la disparition des parents. Leur vieillesse, leurs maladies, la lente ou rapide dégradation de leur santé, de leur capacité de penser et de juger, leur perte d'autonomie, leurs souffrances, celles qu'ils vivent comme celles qu'ils infligent à leur famille, à leur conjoint parfois, tout cela est tu. C'est un sujet qu'on évite d'aborder, dont on a honte.

Comment raconter le chagrin mais aussi l'indignation, la lassitude, l'incompréhension, la douleur que provoquent en nous leurs incohérences, leurs injustices, ce moment où ils basculent dans une seconde enfance et veulent faire de nous leurs parents tout en cherchant à garder sur nous une indéfectible emprise? Serait-ce les trahir que d'en parler? Toucherions-nous à un vieux tabou, l'interdiction de dévoiler la nudité de ses parents comme l'un des fils de Noé s'en rendit coupable? Désemparés, accablés, nous détournons les yeux pudiquement et cherchons à cacher cette part presque obscène de la fin de vie de nos géniteurs. Chacun fait ce qu'il peut pour surmonter l'épreuve, « bricole » à sa manière, toujours bancale, malheureuse, conflictuelle, et se tait.

# Travail du vide

Freud n'a pas vidé la maison de ses parents, lui qui n'a survécu à sa mère que neuf années à peine, puisque sa sœur Dolfi habita l'appartement familial jusqu'à la guerre et la déportation. S'il en avait mesuré l'ampleur, peut-être Freud aurait-il parlé de cet éprouvant, et pourtant libérateur, *travail du vide*, qui nous confronte à nos fantasmes archaïques, refaisant de nous des bébés cannibales, avides et pleins de convoitise à l'égard des richesses de nos parents, des êtres de rancune et de revendications, cherchant à contrôler obsessionnellement les passages du plein au vide, des adolescents toujours prêts à vider leur sac, partisans de tout jeter par-dessus bord, désirant dans leur frénésie de toute-puissance n'être nés que d'eux-mêmes et faire du passé table rase, des adultes voulant pourtant consciemment accomplir leur devoir de piété filiale, mais rencontrant à chaque instant d'encombrants fantômes.

Alors même que nous venons de perdre notre deuxième parent, il nous faut presque aussitôt traverser une des expériences les plus pénibles qui soit, la tâche la plus lourde d'affects multiples, contradictoires, qui se puisse imaginer : vider la maison de ses parents. En un même lieu, un même temps, une même action, toutes les émotions se bousculent en nous : période d'intense catharsis. Angoisses et accablement. Dépit et bonheur. Douleur et jubilation.

Vider, le verbe me gêne. Je voudrais dire : « ranger », mais ranger n'est qu'une partie du travail. Certes, il faudra trier, évaluer, classer, ordonner, emballer, mais aussi choisir, donner, jeter, vendre, garder, et au bout du compte – sauf si l'on vit de génération en génération dans un même lieu où s'accumuleraient les strates du passé – c'est bien de « vider » *la maison de nos parents* que nous sommes chargés.

Vider, quel mot sinistre, il résonne mal, évoque immédiatement l'idée de piller une tombe, de dérober des secrets au royaume des morts – la malédiction des pyramides –, donne la sensation de ressembler à des rapaces, des détrousseurs de cadavres.

On voudrait amadouer le mot, en atténuer la brutalité, l'édulcorer, prononcer plutôt : « débarrasser », ou peut-être même « fermer », comme on le dit à la fin de l'été d'une maison de vacances. S'il s'agissait de prendre congé, ce serait d'un éternel congé, de vacances sans retour.

Qu'on le veuille ou non, que ce soit indécent ou pas, la vie porte en elle de l'agressivité. Le passage d'une génération à l'autre – l'une monte, l'autre descend ; « le roi est mort, vive le roi » – n'est pas sans lien avec le meurtre symbolique. Chacun de nous, et pas seulement en rêve, tue son parent et même ses deux parents, puisqu'il leur survit.

Révoltant, mais dans le cours des choses : ceux qui nous ont vus naître, nous les voyons mourir, et ceux que nous mettons au monde nous enterreront. Nous n'avons pas connu l'enfance et la jeunesse de nos parents, ils ne connaîtront pas les dernières années de notre vie comme nous ne connaîtrons pas celles de nos enfants. Nous naissons dans notre famille d'origine, mourons dans celle que nous avons créée. Alors, oui, lorsque, à notre tour, nous montons sur le trône, c'est que nous sommes devenus des survivants. Survivre à ses enfants est intolérable. Survivre à ses parents, naturel et néanmoins malaisé.

C'est ce que la psychanalyse appelle l'épreuve de la réalité, le lent et inévitable travail du deuil qui commence par un surinvestissement du parent mort avant son désinvestissement progressif au profit de la vie.

Le sentiment de perte s'impose d'abord. Longtemps encore il sera impossible de se résoudre à l'idée que cette perte est définitive, irréversible. L'enfant en nous se révolte. Ce que nous pleurons, ce n'est pas seulement un être cher mais l'amour lui-même. Le sentiment de sécurité, la toile de fond sur laquelle dessiner notre vie. Nous nous interrogeons : peut-être est-ce notre faute si le disparu n'est plus là, peut-être l'avons-nous inconsciemment tué par l'avidité, l'agressivité de nos fantasmes ?

Alors, comment faire le vide dans la maison de nos parents sans se sentir terriblement coupable d'y puiser tout ce dont nous avions pu souhaiter nous emparer dans quelque rêve très ancien, dans quelque arrière-scène de notre inconscient? Comment y réaliser – pour de vrai et avec l'étrange autorisation de la loi – tout ce qui était jusque-là tabou? Comment se peut-il que l'héritage nous autorise en un instant radical à nous saisir de ce qui n'était pas à nous quelques heures plus tôt, à en obtenir la plus totale jouissance, sans restriction, sans transgression? Comment pénétrer dans des lieux qui n'étaient jusque-là, et depuis notre naissance, pas les nôtres? Pourquoi pouvons-nous en toute impunité y puiser, y jeter, y détruire, ce que bon nous semble? Qu'est-ce qui a changé en nous? Rien, tout.

Hériter, ce n'est pas recevoir un cadeau, une récompense, un compliment, une assurance, des soins ou un secours. Hériter, ce n'est nullement accueillir un don de ses parents. C'est même l'exact contraire. Devenir propriétaire par voie de succession n'implique pas de recueillir une chose offerte : c'est prendre possession légalement d'un bien, en obtenir l'usage sans qu'il nous ait été légué par le testateur.

Le verbe « hériter » est à l'opposé du verbe « léguer ». Donner par disposition testamentaire marque une volonté explicite, un choix, une action. L'héritage, à l'inverse du legs, ne suppose aucun désir, ne traduit aucune intention à notre égard. Le droit se charge de faire circuler des biens qui, sinon, seraient à l'abandon. Ils sont attribués, par défaut, aux héritiers légaux qu'un notaire peut déterminer ou rechercher. Cet acte légal porte un nom : l'acte de notoriété. Il ne s'agit pas de réputation au sens de célébrité, mais du fait notoire, manifeste, public, qu'un héritier n'est pas un imposteur, mais bien celui à qui un héritage est destiné par voie de filiation.

Soit. La loi me déclare héritière légale,

mais affectivement ne suis-je pas un imposteur ? Comment puis-je recevoir des choses que l'on ne m'a pas données ? Mes parents vivants ne m'ont pas offert ce joli tapis d'Orient dont j'avais fort envie, pourquoi y ai-je droit à présent qu'ils sont morts ? Ils n'ont pas voulu m'en faire cadeau, comment puis-je le prendre sans avoir le sentiment de leur forcer la main, de les abuser, de les dépouiller ?

Une clause notariale de la succession précise : « La défunte n'a pas fait de dispositions de dernières volontés connues à ce jour. » Voilà où le fantasme et la réalité entrent en collusion. Par leur testament, mes parents défunts m'auraient fait connaître un souhait ancien, antérieur à leur décès. Sans déclaration de leur part, comment m'assurer de leur consentement ? Voulaient-ils réellement que je jouisse de leurs biens ? Qu'est-ce que cela signifie de « ne pas recevoir » les affaires des parents mais de s'en trouver possesseur malgré soi, malgré eux?

Peut-être ne s'étaient-ils pas posé la question parce que la réponse leur paraissait évidente. Pourtant, ce qui va de soi irait mieux en le disant; sinon un doute persiste.

« Vider la maison de ses parents » sonne si affreusement parce que précisément cette expression touche à une vérité de l'inconscient.

La loi est sans état d'âme, sans ambivalence. Ce que la loi impose, le langage l'interdit ou le nuance, le complexifie. Le dictionnaire raconte mieux notre intimité, nos débats internes, nos hésitations.

Vider, verbe transitif.

Action de rendre vide un contenant, un lieu, d'enlever d'un lieu, de chasser, d'expulser. Son contraire : emplir, remplir.

Débarrasser la maison de mes parents de ses meubles, comme un sinistre huissier.

Enlever ce qui est dans leurs tiroirs, leurs armoires, comme un voleur. Répandre le linge, la vaisselle, les vêtements, les papiers, les traces de leurs vies, comme un pillard. En vidant leur maison, n'est-ce pas mes parents que je vide, comme on ôte les entrailles d'un poisson ou d'une volaille?

Mes associations résonnent avec celles de la langue. Vider, évider, étriper. Vider signifie aussi nettoyer, clore, épuiser, mettre fin. Évocations terriblement agressives. Est-ce intolérable d'en parler, de l'écrire? Comme si cette tâche qu'il nous est réservé à tous et à chacun d'accomplir un jour ou l'autre (à moins d'avoir des frères et sœurs qui s'en chargent à notre place) portait une telle charge de violence que nous préférions n'en souffler mot à personne.

Ai-je tort de poursuivre ces pages, d'écrire ce livre qui dévoile cette part de nous-même que nous voudrions occulter? Ou, au contraire, ne vaut-il pas mieux essayer d'approcher par des mots ce lourd silence que l'on porte en soi? Comme un abcès dangereux dont on recommande de le débrider, l'inciser, ouvrir, percer, vider en somme? Ne dit-on pas aussi vider son cœur?

Vider soulage. Est-ce trop inconvenant de l'avouer? Oui, nos chers disparus, nous les avons tendrement aimés mais ils nous ont aussi épuisés, lessivés, pompés. À notre tour de les vider comme on chasse un importun ou un mauvais rêve.

Suis-je trop violente?

Vais-je être poursuivie par des fantômes justiciers qui vont me demander des comptes, par rétorsion envahir mes nuits de cauchemars? Ou est-ce le chemin de la délivrance intérieure, le moment ou jamais de clore son enfance? Vider un différend, une querelle.

Vider, c'est aussi faire le vide en soi : se dévoiler, s'abandonner, se démasquer.

Passage à vide : moment difficile, comme si l'on enjambait le néant.

Année 1313. *Vuidier un dit*, « prononcer un jugement ». Faire en sorte qu'une affaire soit épuisée, réglée, résolue, terminée.

Alors, allons-y, sans plus d'hésitation, vidons la question. Racontons ce qui ne peut l'être. Je me lance. Au passé, comme dans les récits.

# Sur les marches de la mort

Sur l'absence sans désir
Sur la solitude nue
Sur les marches de la mort
J'écris ton nom
Liberté

Paul ELUARD (1942)

D'abord, l'impudeur. L'obligation de bafouer toutes les règles de la discrétion : fouiller dans les papiers personnels, ouvrir les sacs à main, décacheter et lire du courrier qui ne m'était pas adressé. Transgresser les règles élémentaires de la politesse à l'encontre de ceux qui me les avaient enseignées me blessait. L'indiscrétion m'était étrangère ; je n'avais jamais fait les poches de quelqu'un ni défloré ses tiroirs secrets, encore moins ouvert une lettre qui ne m'était pas destinée. Mais les administrations étaient sans pudeur ; dans les heures qui ont suivi la mort de ma mère, elles réclamaient des documents qui m'obligeaient à fureter partout, à forcer son intimité, à ouvrir des dossiers, compulser des extraits de compte, des agendas, pour mettre la main sur des papiers ou des renseignements indispensables pour l'état civil, la Sécurité sociale, le notaire, le cimetière.

L'impudeur majeure : devoir déclarer officiellement le décès de celle qui m'avait portée dans son ventre.

Avertir les proches, téléphoner à la famille, aux amis, prononcer les mots imprononçables : comment les tourner ? J'ai une triste nouvelle à vous annoncer, un grand malheur, hélas (avec un ton de voix sourd et cassé qui transmettait la vérité avant que les mots eux-mêmes ne disent l'irréparable), elle était très malade depuis plusieurs mois, trois séjours aux soins intensifs, elle était revenue de Londres avec une mauvaise bronchite. Le monde à l'envers, je m'entendais consoler mes correspondants ; je prenais sur moi leur tristesse, je tentais de l'atténuer, de trouver des motifs de consolation. Non, elle n'a pas souffert, elle est morte dans mes bras, je l'embrassais sur la tempe, lui caressais le visage et lui tenais une main. M. lui tenait l'autre main. Oui, je l'avais ramenée de l'hôpital chez elle, selon son souhait. Elle est morte dans son lit, entourée des siens. Elle s'est éteinte comme une petite bougie.

Qui avais-je oublié ? Je compulsai son carnet d'adresses, tournai les pages, épuisée d'émotion. Comment trouver la force d'enfiler les coups de téléphone, de redire ces mots qui donnaient corps à sa mort alors que les premières heures qui la suivirent laissaient flotter cet événement dans une sorte d'irréalité protectrice, un *no man's land* de la prise de conscience? Peut-être n'étais-je qu'un automate actionné par une main inconnue qui m'obligeait à faire ce que je faisais sans réfléchir : des actions minuscules et symboliques comme de rédiger l'annonce nécrologique, choisir les mots, les noms, respecter le délai de parution, compter les lignes, vérifier que le courriel est arrivé à temps, acheter le journal pour voir où l'annonce est parue, s'il n'y a pas d'erreur malheureuse…

J'agissais mais je ne réalisais pas. Au fond de moi une petite voix accusatrice m'interrogeait : n'es-tu pas en train de la tuer? Tu dis qu'elle est morte mais ce n'est pas vrai. Je lui répondais, pas très sûre de moi, entamée par une vieille culpabilité jamais désagrégée, que je n'avais pas rêvé, qu'elle était morte dans mes bras, que j'avais vu son souffle se ralentir et s'écouler jusqu'au dernier, que j'avais fermé ses paupières sur ses beaux yeux bruns, que j'avais touché sa peau encore tiède et relevé la couette sur sa poitrine où je me blottissais autrefois et qui ne bougeait plus.

Pourtant, c'était vrai, le passage de la vie à la mort est si mince, si ténu, si simple en somme, mais aussi tellement incompréhensible que j'avais cru quelques heures plus tard, la voyant dans son lit reposer sur les nombreux coussins glissés sous sa tête, j'avais cru la voir bouger.

La peur de la regarder mourir, d'assister à sa mort, ne m'avait pas effleurée ; elle me l'avait demandé, fait promettre, je serais près d'elle, j'étais prête, je ne l'abandonnerais pas dans l'anonymat stérile d'une chambre d'hôpital. Je n'avais pas pu accompagner mon père dans son dernier voyage. Il était aux soins intensifs après un accident de santé dû aux effets secondaires, rarissimes, d'un médicament. J'étais près de lui avant qu'on ne le plonge dans un coma artificiel pour essayer de le sauver en le plaçant sous assistance respiratoire. J'étais venue pendant un mois m'asseoir à ses côtés, lui caresser la joue et les mains, connaître encore le contact familier de ses doigts, de sa chevalière à la dernière phalange de son petit doigt, légèrement trop court et courbé comme le mien. C'était notre signe de reconnaissance mutuel le plus ténu. Nous avions en commun cette petite anomalie dont nous riions ensemble, dont nous étions fiers parce qu'elle nous liait par une similarité corporelle moins visible que celle de la couleur des yeux ou la texture des cheveux, c'était notre lien secret, une connivence fille-père qui n'avait pas besoin de mots pour se dire.

Mon père mourut sans savoir qu'il se mourait. Nous ne nous étions pas dit au revoir. Était-ce mieux ou moins bien pour lui ? Comment le savoir ? Chaque être humain emporte avec soi sa part de mystère. Peut-être était-il mort avec la discrétion et l'élégance réservée qui étaient les siennes dans la vie. Il avait soudain disparu, il s'était comme évaporé, en deux jours, sans peser sur ceux qu'il aimait, sans non plus offrir quelques mots à sa fille qui aurait aimé les entendre.

Peut-être mon père, sans le vouloir, m'avait-il offert de trouver moi-même les mots qu'il n'avait pas pu me donner. Cadeau en creux, infiniment précieux. Je n'avais jamais songé à cela de cette manière. Je lui en voulais de ses silences, je trouvais mon baluchon bien vide pour partir dans le vaste monde sans lui. Deux ans après sa mort, qui ne ressemblait pas à un décès mais à une disparition, une évanescence cruelle et infiniment douloureuse, je commençais à sentir se déposer en moi une certaine douceur.

Avant de s'éteindre, à bout de souffle, ma mère avait murmuré son désir de rejoindre mon père. Elle attendait de moi que je veille sur elle pour adoucir son départ; j'étais là. Je songeais qu'en ses derniers instants elle m'accordait ce qu'elle m'avait toujours refusé : le pouvoir de la satisfaire, de lui faire plaisir, la permission de répondre à son attente sans critiques de sa part, sans remarques acerbes, sans crocs-en-jambe de dernière minute, simplement la possibilité d'éprouver avec elle une tendresse sans arrière-pensées.

En déposant sur sa tempe, son front et sa joue des baisers de fille, en répétant à son oreille des mots de tendresse, je songeais que toute ma vie j'avais tenté de lui plaire, que j'avais toujours cherché à obtenir d'elle un amour sans conditions, mais en vain. Au moment de la perdre, au tout dernier instant, elle se montrait satisfaite de sa fille, elle n'avait plus rien à lui reprocher, elle acceptait ma main dans la sienne, mes lèvres sur sa peau, mes mots à son oreille.

34

Pour une fois, une seule fois, elle était contente de moi. Elle m'accueillait telle que j'étais. Elle me faisait confiance.

Étrange expérience dont je ne savais si la consolation l'emporterait sur la mélancolie. Je ne pouvais me réjouir de cet instant d'apaisement entre nous puisqu'il était l'ultime, mais allais-je toute ma vie lui en vouloir? Nos brouilles, nos malentendus, notre incompréhension avaient assez duré. La paix devait être signée. Si elle le fut sur son lit de mort, qu'importe. Dans son inflexible volonté de vivre, ma mère m'avait souvent répété qu'à quelque chose malheur est bon. Peut-être souffrait-elle elle-même d'être une éternelle insatisfaite, peut-être ne prenait-elle pas la mesure de ses phrases cinglantes, de son ton sans réplique, de ses mots ravageurs. Elle m'aimait à sa manière, maladroite.

Faire son deuil, éprouver le vide, s'accompagne de larmes, mais surtout de la douleur du dévoilement : si nous ne l'avions pas déjà réalisé, c'est la dernière occasion de mesurer les limites de nos parents, de les regarder dans leur fragilité. Après tout, ce ne sont que de pauvres êtres humains.

L'idée de n'avoir pas failli à mon devoir, d'avoir ramené ma mère chez elle pour lui permettre de mourir dans mes bras, selon ses dernières volontés, allégeait ma peine, me donnait la force d'affronter toutes les tâches douloureuses qu'il me restait à accomplir.

À son enterrement, je lus un de ses poèmes préférés, *Liberté*, de Paul Eluard.

# Ground Zero

Étrange paradoxe : tout ce qui dans mon enfance ou mon adolescence m'avait fait rêver, que j'avais souhaité recevoir, que j'avais espéré, convoité et demandé sans succès, ou qu'il m'avait été interdit de toucher (« Tu as deux mains gauches, je ne veux pas que tu le casses »), tout ce qu'on m'avait empêchée d'utiliser ou de porter (« Tu n'es pas assez soigneuse »), m'était soudain échu.

Mes sentiments et ceux de mes parents n'étaient plus en jeu. Espoir, convoitise, larmes ou colère ne rencontraient plus leurs réticences ou leur refus : la loi décidait pour nous. « Seule et unique héritière légale », selon les mots du notaire, tout m'était légué. En vrac. Dans le désordre et la confusion des sentiments.

Ce que j'avais souhaité posséder jadis, ce qui me déplaisait à présent, ce qui m'encombrait, ce qui survenait trop tard ou trop tôt, ce dont je n'avais que faire, ce qui me bouleversait : tout était désormais à moi. Par héritage.

Je ne voulais plus rien. J'étais sans désir, anesthésiée.

Comment recevoir ce qu'ils ne m'avaient pas donné, de leurs mains, suivant leur libre arbitre, leur bon vouloir ? Pourquoi emmener chez moi ce qu'ils ne m'avaient pas confié de leur vivant ? Être orphelin, c'est hériter, proclame le droit : lourd raccourci qui ne va pas de soi. Peut-on prendre sans conquérir ? Pourquoi accueillir ce qui vous a été auparavant refusé ? Comment ne pas sentir en moi un affreux sentiment de revanche alors que j'emportais le repose-pieds que ma mère n'avait pas voulu m'accorder ? Pourquoi devais-je éprouver cette misérable émotion « au nom de la loi » ? Si je ne souhaitais pas garder telle lampe, telle table, qui leur étaient chères, avais-je le droit de m'en défaire ? Le petit caraco de soie noire emballé dans du papier cadeau m'était-il destiné ? En étais-je l'héritière, la destinataire, ou l'usurpatrice ? Les choses étaient-elles déjà miennes ou encore à eux ?

Une sensation de vide, d'oppression se creusait en moi.

« Seule et unique héritière », je n'avais légalement rien à partager avec personne, mais j'éprouvais l'envie pressante de donner, d'offrir. Était-ce pour me décharger, me délester, pour échapper à ce huis clos étouffant, seule avec mes parents morts ? J'étais enfant unique, sans frère ni sœur, sans aîné ni cadet. Je l'avais été de leur vivant, je le demeurais après leur disparition. J'étais devenue une orpheline unique. Une héritière solitaire. La seule succession que j'aurais souhaité recueillir, c'eût été leur confiance. J'aurais voulu qu'ils m'accordent longtemps avant de mourir une confiance absolue, inébranlable, totale.

Quelle importance avaient désormais ces choses immobiles, ces objets étrangers, ces souvenirs sans partenaires ? Se refusaient-ils à moi ou me refusais-je à eux ? Leur magie ancienne s'était éteinte, elle n'agissait plus. Une hostilité marquait le regard que je portais à présent sur « tout ça ». Quelle était la valeur de ce bibelot, de ce foulard, de cette aquarelle dont mes parents ne m'avaient pas fait cadeau, de ce dictionnaire qui eût été utile à mes enfants et qu'ils n'avaient pas jugé bon de leur offrir, de ce flacon qu'ils auraient pu me donner en souriant et que je recueillais sans leur sourire ?

Je suis pour les donations et contre les héritages. Il faudrait toujours faire un testament, désigner nommément ce qu'on souhaite léguer et à qui on le destine. La passation d'une génération à l'autre ne devrait pas aller de soi, elle devrait être un choix, une offrande, une transmission explicite, concertée, réfléchie, et non pas seulement une convention, un laisser-faire passif, une résignation. J'héritais, j'aurais aimé recevoir.

Pesait sur moi une question insistante : que devais-je faire du contenu de leur maison, de ceci et de cela ? Étais-je réellement libre de choisir ? La loi m'offrait en pleine propriété un monde qui était encore le leur.

Pour chaque objet, chaque meuble, chaque vêtement, chaque papier, il n'y avait que quatre directions, comme à la croisée des chemins la rose des vents : garder, offrir, vendre ou jeter. Chaque fois que mon regard et ma main considéraient quelque chose, un

41

choix devait être fait. Combien de choses recèle une maison, de la cave au grenier, combien de décisions cette habitation allait-elle m'obliger à prendre ? Des dizaines, des centaines, des milliers de fois, j'allais devoir évaluer un objet et décider de son sort : à la poubelle, à emporter, à donner, à essayer de négocier… La catégorie « en attente » ou « on verra plus tard » se révéla la plus importante. Le *statu quo* l'emportait largement sur les quatre catégories prescrites par le bon sens. J'étais infiniment découragée. Cette maison me submergeait.

Les premiers jours, je me persuadai que j'allais « ranger » et non pas « vider » la maison de mes parents. Il m'arriva plusieurs fois de prononcer un verbe pour l'autre.

Mettre de l'ordre ou déménager représente souvent une épreuve, mais ces actions banales deviennent insupportables lorsqu'il faut, à cette occasion, remuer le passé des disparus, se confronter à chaque instant à leur perte, à leur disparition : pourquoi suis-je chez eux alors qu'ils ne sont pas là ?

Les morts ne disparaissent pas de notre mémoire. Nous pouvons, à volonté, les évoquer ; ils continuent d'exister en nous ; par contre, eux, ne peuvent plus penser à nous. Le dialogue est uniquement imaginaire. Nous cessons d'exister pour eux. Nous cherchons alors à imaginer ce qu'ils auraient pensé s'ils avaient été là. Auraient-ils approuvé nos décisions ? Est-ce que je respectais leurs volontés ? Auraient-ils été choqués d'apprendre que je ne souhaitais pas habiter leur maison ? En mon for intérieur, je me disais, pour m'encourager, que rien ne les avait empêchés de laisser des instructions précises s'ils l'avaient voulu, qu'il fallait donc, puisque ce n'était pas le cas, que j'agisse comme je le voulais.

Mon père et ma mère reposaient en moi désormais. Rien dans la réalité ne pourrait plus contredire les images que je garderais d'eux, celles que je m'inventerais, les souvenirs que je reconstruirais à ma manière. Ils étaient à moi, en moi. Cette impression était faite de sérénité et de violence. Je regardais les miens, il n'y avait plus personne derrière moi, seulement à côté et devant moi. J'occupais la place de l'ancienne, celle sur qui l'on peut compter, celle qui a créé une nouvelle lignée.

Je contemplai ce qui m'entourait et le vertige me prit.

Lâchement je remis à plus tard de sortir de ce dilemme. Je choisis de commencer par emporter quelques babioles, quelques livres, qui m'appartenaient depuis l'adolescence et que j'avais toujours omis de ramener chez moi, comme s'il était rassurant de savoir qu'ils demeuraient dans la maison familiale telle une dernière attache avec le passé, un gage que la séparation n'était pas entièrement consommée, qu'on pourrait toujours y revenir, y trouver refuge. Je pris ensuite le parti d'enlever les cadeaux que je leur avais faits.

Dans les disputes de l'enfance, on se récriait : « Donner, c'est donner, reprendre, c'est voler. » Étais-je une voleuse ? Pouvais-je sans honte embarquer les deux volumes de Prévert dans la Pléiade, le plat à fruits ramené de New York, le catalogue d'une exposition Modigliani à Venise (comme il était lourd à trimbaler en montant et descendant les degrés des ponts qui enjambent les canaux), le pot toscan qui ne leur avait pas vraiment plu ?

Rien n'était simple. Chaque objet parlait de leur absence, ravivait le manque, la solitude. La tâche m'écrasait, la maison était trop chargée, la peine trop fraîche. Je reculais. Je sentais un poids immense peser sur mes épaules. J'aurais voulu m'enfuir, déserter. « Idiote ! pensais-je de moi-même. Laisse là tes scrupules. Tes parents t'ont assez empoisonné l'existence de leur vivant pour que tu ne t'empoisonnes pas toi-même après leur mort ! Fais ce qu'il te plaît. »

Je suis montée dans le grenier. Dans un coin se trouvait, tout rond, en feutre noir, décoré d'un visage souriant, grandes lèvres rouges, yeux étonnés, deux grands anneaux dorés cousus au bord des oreilles, le coussin de mon lit d'enfant, ma chère Bamboula ! Je l'ai serrée contre moi comme autrefois, puis l'ai reposée là où je l'avais trouvée.

Le téléphone a sonné, j'ai soulevé le combiné, quelqu'un a prononcé le nom de ma mère, souhaitait lui parler, prendre de ses nouvelles, ne savait pas, confondait nos voix. Non, dis-je, ce n'est pas elle, c'est sa fille, et je donnai mon nom à la place du sien. Elle n'était pas là, elle ne serait plus jamais là.

Avant de quitter la maison, j'entrai dans leur chambre. Tout était présent, intact.

À la tête du lit, du côté où ma mère dormait, se trouvait le portrait de mon père : accoudé au bord d'une fenêtre ouverte, un beau jeune homme souriait, depuis cinquante-sept ans. De son côté à lui, pâlie par le temps, une image où se devinaient dans une forêt de caractères noir sur blanc le visage de ma mère et le mien en gros plan. Cette photographie fut prise à New York en 1972, tout en haut d'une des Twin Towers. Ground Zero.

# Le rien et le trop

Il y a quelque chose de l'ordre du sacré dans le foyer parental. Y toucher relève du sacrilège, de la profanation.

Par où commencer le démembrement ? Comment se résoudre à balayer la singularité et la cohérence propres à ce lieu ? Débarrasser une pièce à la fois, mais laquelle ? Y avait-il une chambre moins empreinte de réminiscences qu'une autre ? L'éclat de la vie irisait toute chose. Pas un coin, un angle de la maison qui ne portait les traces encore vibrantes de ses habitants disparus. Où mettre à exécution la dévastation ? En quel lieu s'exercer au vandalisme ? La manière douce de s'y prendre existait-elle ? J'effleurais les objets, j'en prenais un, le caressais, le reposais, en saisissais un deuxième, je ne me décidais pas à fixer son sort. Attaquer la cuisine, le salon, la salle à manger ? Dépareiller, disperser, séparer. Pourquoi devais-je au deuil ajouter le désordre et la désolation ?

Les choses ne sont pas seulement des choses, elles portent des traces humaines, elles nous prolongent. Nos objets de longue compagnie ne sont pas moins fidèles, à leur façon modeste et loyale, que les animaux ou les plantes qui nous entourent. Chacun a une histoire et une signification mêlées à celle des personnes qui les ont utilisés et aimés. Ils forment ensemble, objets et personnes, une sorte d'unité qui ne peut se désolidariser sans peine. J'errais dans la maison, irrésolue, accablée, impuissante.

Puisqu'il fallait trancher, je décidai d'emporter leurs papiers personnels sans les regarder, de les classer plus tard, en prenant le temps, pour leur accorder une attention et une disponibilité que je n'avais pas en ces premiers moments de deuil.

Je transformai mon garage en lieu d'archives, j'y montai des mètres et des mètres de bibliothèque, alignai les boîtes, dossiers, chemises qu'ils avaient eux-mêmes conservés au fil du temps : les correspondances et les souvenirs côte à côte avec les extraits de banque, les factures de téléphone et d'électricité, les primes d'assurances ou les doubles des feuilles d'impôts. Ils avaient tout, tout, tout gardé depuis trente, quarante, parfois même cinquante années et plus. Des centaines de longues soirées d'hiver pluvieuses seraient nécessaires pour dépouiller ces masses de papiers dont il était difficile de décider, sans les compulser, s'ils étaient importants ou anodins, à conserver ou à jeter.

Il y avait surtout des rangées de dossiers,

de fichiers et de documents rassemblés par ma mère pour établir la double généalogie de sa famille, ainsi que quelques bribes concernant celle de mon père. C'était un immense travail qu'elle avait accompli avec la patience, le soin, le goût de l'ordre et le désir de perfection qui étaient les siens.

Devais-je devenir l'archiviste de leurs vies ? faire de ma maison un musée de leur passé ? un autel des ancêtres ? S'il est sain de garder un lien puissant avec ses racines, ne deviennent-elles pas dangereuses lorsqu'elles débordent de terre et envahissent la part aérienne de l'arbre, prêtes à l'étouffer ?

J'avais vingt ans quand ma mère se mit en tête de mener des recherches généalogiques. Je la regardais faire avec une légère ironie. Son zèle m'ennuyait, j'aurais préféré qu'elle me parle de son propre passé de rescapée du génocide plutôt que de l'ancêtre lointain qui fut peut-être musicien dans l'armée napoléonienne. Tout à sa joie de renouer avec ses ascendants, elle ignorait que la filiation n'allait pas de soi pour sa descendance. Tout génocide brise l'évidence de la suite des générations. Elle cherchait ses ancêtres. Je ne pouvais accéder à l'histoire de ma propre mère.

Dans les premiers mois de son engouement, elle nous avait entraînés, mon père et moi, dans de paisibles cimetières entre Rhin et Moselle, où elle prenait pieusement note de toutes les inscriptions qu'elle déchiffrait sur les tombes préservées de ses ancêtres. Quant à moi, je préférais grimper dans un arbre ou m'asseoir sur quelque pierre pour poursuivre une autre Recherche. Je lisais imperturbablement Proust. Au milieu des stèles funéraires, la littérature m'offrait des ancêtres imaginaires, m'ouvrait une dérobade à la suite ininterrompue des cinq cent mille générations qui nous ont précédés...

Ma mère n'avait pas eu le temps de rédiger un texte pour mettre en forme cette généalogie qu'elle mena jusqu'au dix-septième siècle. Elle avait néanmoins écrit, à la fin de sa vie, en s'adressant à sa petite-fille, les souvenirs de sa première enfance, une enfance heureuse dans les années vingt, entre Cologne, sa ville natale, et la campagne rhénane. Malgré mon insistance et mes encouragements, elle n'alla jamais au-delà de son arrivée à Strasbourg, après l'accession de Hitler au pouvoir en 1933, et de sa joie de découvrir un pays où l'on écrivait en lettres capitales sur le fronton des mairies les mots Liberté, Égalité, Fraternité.

Je soupçonnais mon père de l'avoir empêchée d'écrire sur son expérience concentrationnaire. Il voulait lui épargner, disait-il, de trop fortes émotions, ou se protégeait-il lui-même ? Elle respecta son interdit jusque dans son bref veuvage. Je savais qu'elle avait pourtant, comme lui, accepté de parler pour les générations futures et qu'il existait des cassettes audiovisuelles de quelques heures d'interview sur leurs souvenirs d'anciens rescapés des camps nazis, réalisées par une fondation universitaire.

Ces témoignages, ils ne m'avaient pas proposé de les visionner, je ne m'étais pas senti le droit de le leur demander. Le silence que nous n'avions pu briser, ni eux, ni moi, se poursuivait après leur mort.

Il me revenait de rompre, seule, ce tabou. Ce qu'ils m'avaient caché était-il pire que ce que j'avais lu ou entendu ? Ce que je savais, je ne pouvais pas le savoir, ils n'avaient pas voulu que je le sache. C'était un savoir interdit. Entaché d'horreur, de honte, de déni, un savoir saisi dans la glace, pétrifié.

Mes parents avaient lutté pour survivre ; les enfants de la génération après le génocide, comme je l'étais, devaient se battre pour vivre en leur nom propre. Pour vivre sa propre histoire, il fallait s'extraire du magma indifférencié, écrasant, de leur mémoire traumatisée.

Auto-analyse interminable : tenter de décoller son psychisme du psychisme parental.

Pourquoi, parmi tant d'autres possibles, ai-je eu l'envie d'ouvrir cette toute petite mallette de cuir patinée par le temps ? Hasard ou intuition. Elle contenait des liasses de lettres dont j'ignorais l'existence. Écrites, en allemand, par la mère de mon père et adressées à celui-ci, en internat, alors qu'il n'était encore qu'un très jeune adolescent, en 1938, ces lettres parlaient d'un temps que mon père n'avait jamais évoqué devant moi.

De cette grand-mère russe, déportée et assassinée par les nazis en 1942, je ne savais rien. Depuis des années, je gardais une petite photo d'elle dans mon carnet d'adresses ; on la voyait tenir un petit chaton dans les

mains à hauteur de son visage, elle lui souriait, le regard doux et amusé, les cheveux
ramenés en chignon, les pommettes hautes
et marquées, très slaves. À l'arrière, ces mots
au crayon bleu : « Scheveningen, 1939 ».

Avec elle, tout un monde avait disparu :
la famille russe, la cuisine russe, la langue
russe, les souvenirs russes, les noms russes.
J'aurais aimé la connaître, mais mon père ne
l'évoquait que très rarement, comme si parler d'elle le faisait souffrir. Quand mon père
vit-il sa maman pour la dernière fois ? Quand
apprit-il sa mort abominable ? Enfant, j'avais
souvent tenté de l'accompagner dans la
chambre à gaz, me la représentant prison-
nière, paniquée, follement inquiète du sort
réservé à ses enfants, asphyxiée, suffoquant,
saisie de terreur, anéantie.

Qu'est-ce que mon père avait recueilli de
sa mère ? Une liasse de lettres, une ou deux
photographies, des traits de caractère peut-

être, une forme de visage. Et un petit bijou, que son frère aîné conserva pour le lui donner après la guerre, un médaillon en émail bleu que j'aurais aimé porter, ce qui me fut refusé, je ne sais pas pourquoi. Je ne reçus que son prénom, Rose. C'était un legs bien trop lourd.

Entre mélancolie et amertume, tristesse et douleur, gratitude et découragement, je pensai que j'avais de la chance d'avoir vu mes parents vieillir et de pouvoir à présent recueillir des objets qui me parlaient d'eux. Mes parents avaient voulu tout conserver. Ils n'avaient pu se détacher de rien, rien jeter, parce que leur jeunesse avait été brisée par trop d'exils et de disparitions. Ils me chargeaient de trop parce qu'ils avaient eu trop peu. Ils cherchaient à combler leur vide.

D'une génération à l'autre, le rien pèse, le trop aussi. Ne transmet-on jamais que du négatif ?

## Comme une pomme sur une chèvre

Derrière des casseroles à poisson, à cous-
cous, des bassines en cuivre pour faire de
la confiture, des sauteuses, des caquelons
empilés, des dizaines de boîtes de conserve,
de pots de marmelade vides, des provisions
d'eau minérale, de compotes de pommes, de
carottes et petits pois, de rouleaux de papier
de soie, de bouts de ficelle, de bouteilles de
vin et de vidanges diverses, se trouvaient,
dans la cave à provisions, innocents comme
des nouveau-nés, mes tout premiers biberons !

Comment mes parents, des personnes que
je croyais sensées, avaient-ils cru nécessaire

– ou amusant ou spirituel ou farceur ou ?… –
de conserver ces petites bouteilles de verre
épais à la tétine en vieux caoutchouc brun ?
Bien des bébés étaient passés dans leurs bras
depuis qu'ils m'avaient donné du lait,
n'avaient-ils donc pas compris que ces vieux
biberons ne serviraient plus jamais et qu'il
était absolument sans intérêt de les conserver ? S'attendaient-ils à me les voir garder à
mon tour indéfiniment et en vain – puisque
j'avais nourri ma fille au sein et que ma
seule tentative de lui faire prendre un bibe-
ron s'était soldée, au moment de les stéri-
liser, par l'odeur nauséabonde de tétines
rabougries au fond d'une casserole dont
toute l'eau s'était évaporée parce que je
l'avais oubliée sur le feu ?

Je pris pour les offrir les anciens pots de
confiture que je trouvai à côté des invrai-
semblables reliques laitières et quittai la cave
à provisions, épuisée, dubitative, abasourdie.

Rien ne nous est indifférent dans la maison de nos parents.

Quelques jours plus tard, je m'attaquai au tri des papiers de banque, des factures de téléphone, des prospectus divers, des modes d'emploi d'appareils ménagers ou de chaînes hi-fi qui remplissaient quelques tiroirs. Et voilà qu'à nouveau, sous les dehors paisibles et ennuyeux de chemises et de classeurs bien ordonnés, gisait de l'imprévu. Parmi des papiers administratifs communs soigneusement rangés par ordre chronologique s'étaient glissés des intrus venus d'une époque révolue depuis longtemps. Surgissaient des années cinquante, à l'époque de ma naissance, sans crier gare, des quittances de loyer que ma grand-mère maternelle payait au Kremlin-Bicêtre, 20, rue Delécluze. Tout y était détaillé : loyer – 4.431 –, majoration semestrielle – 341 –, ordures ménagères – 430 –, eau – 289 –, électricité – 94 –, et surtout : baignoire – 277…

Avec stupeur, je découvris ensuite une enveloppe contenant d'autres factures datant des mêmes années. Parmi elles se trouvait celle du séjour de ma mère à la maternité où j'étais née ! Tout était indiqué, comme si cela datait d'hier : le prix de la chambre du 15 au 23 juillet, ceux des médicaments, des soins journaliers, de la location de la salle d'accouchement, des forceps, des communications téléphoniques et même de la pension pour le bébé ! Tenues par un trombone se trouvaient également les factures du séjour que je fis, seule, à la maternité jusqu'au 5 septembre. Ma mère avait eu la tuberculose, les médecins jugeaient utile de lui retirer son nouveau-né pendant huit semaines pour le protéger du bacille de Koch. On m'avait vaguement parlé de cette séparation originelle, mais je n'en avais pas mesuré la longueur et je n'en saurai jamais le retentissement.

Comment se sent un bébé confié au personnel hospitalier plutôt qu'aux bras de sa mère ? J'ai longtemps pensé que cela n'avait pas facilité le début de ma vie ni la relation précoce entre ma mère et moi. Pour démentir cette idée, on me montrait une photographie prise à la clinique, où l'on me voyait dans les bras d'une très jolie infirmière, avec en surimpression le reflet de mon jeune père tendrement ému, souriant à son bébé derrière la vitre de la chambre. Je connaissais à présent le numéro de celle-ci – 466 –, le prix du lait maternel avec lequel on m'avait nourrie et celui de la radio du thorax que l'on me fit après quinze jours de vie. Le nom du pédiatre était le docteur Maurice et la facture adressée à l'« Enfant Flem Lydia »...

Avant de quitter la maison – je m'étais fait une règle d'emporter à chaque visite quelque chose pour conjurer le découragement qui me prenait en pensant à tout cet univers qu'il me fallait disperser, cet univers frémissant de nostalgie plus vaste qu'un océan à vider à la cuillère – je ramenai avec moi, ce soir-là, un tableau plein de couleurs et de tendresse et l'accrochai dans mon hall d'entrée. Il m'accueillerait chez moi comme il m'avait accueillie chez eux. Son titre, peint sous le bord supérieur, auquel je n'avais jamais prêté attention, était *Mon passé ressemble à une pomme sur une chèvre*. En effet, une chèvre au regard très doux avançait, une pomme rouge sur le dos, devant un personnage mélancolique, dont je n'avais jamais pu décider s'il s'agissait d'une femme, d'un homme ou d'une figure humaine double, une sorte d'être ou de couple hermaphrodite, homme et femme combinés. À l'arrière-plan, un petit village dansant comme dans les tableaux de Chagall : église, maisons, fenêtres de guingois. Pendant la nuit, je descendis voir la peinture à la lumière d'une lampe électrique, elle brillait rougeoyante et lumineuse dans l'obscurité. L'être double portait une jupe ample comme celles des paysannes russes, des seins ronds très blancs au-dessus du décolleté et deux étranges bras lui sortaient du ventre, comme deux sexes érigés, doigts ouverts en direction de la chèvre malicieuse aux pattes triangulaires. Ce tableau respirait une joie nourrie de désespoir. Il me convenait bien, traduisant ce mélange si difficile à vivre d'arrachement et de liberté.

# Au bord du lit

> J'écris ce que je ne pourrais
> dire à personne.
>
> PRIMO LEVI

Disperser les objets qu'ils avaient aimés,
choisis avec soin ou assemblés par hasard,
gardés par habitude ou parce que « on ne
sait jamais », voulus comme des balises pour
maintenir le cap de la vie, enfermés dans des
poches d'oubli ou protégés de la dégradation du temps pour témoigner de leur existence, en avais-je le droit ? Comment ne pas
me sentir coupable de forcer leur intimité,
d'entrer dans leur chambre sans frapper, de
dévoiler leurs petites ou grandes manies,
leurs excentricités, leurs blessures, de faire

effraction dans cette part d'eux qu'eux-mêmes n'entrevoyaient sans doute pas et qui se dévoilait impunément à mes regards ? Et cette question toujours sous-jacente : y avait-il des secrets de famille ? Qu'allais-je découvrir que je voulais ou ne voulais pas apprendre ? Oserais-je ouvrir tous les tiroirs, lire tous les papiers, scruter les interstices, ou allais-je pudiquement me détourner de certaines choses, les enfouir dans des sacs et des cartons sans les déflorer, les jeter ou même les brûler sans rien en savoir ?

Comment se résoudre à l'inconvenance d'une telle indiscrétion alors même qu'elle rejoignait de vieux désirs refoulés venus de la plus haute enfance : écouter aux portes, regarder par le trou de la serrure, guetter les bruits de la chambre des parents, rassasier une curiosité depuis toujours frappée d'interdit et pourtant légitime : quel était le chiffre de ma naissance ? de quels amours étais-je née ? de quel désir de survie ? Quelles traces inconscientes mes parents m'avaient-ils transmises à leur insu ?

De quel impensable maternel et paternel étais-je issue ? Comment m'inscrire dans une lignée chargée de morts partis en fumée, de familles massacrées en toute impunité ? Comment être la fille de parents orphelins, esclaves mis au travail, humains que l'on a voulu soustraire à l'espèce humaine, réduits si longtemps au silence par l'assourdissant silence du monde ? Comment hériter de parents qui avaient fait de moi un garde-fou contre l'horreur, non pas leur enfant mais leur rempart ?

À ce passé inexprimable, à cette succession de traumatismes qu'ils vécurent avant ma naissance, que pouvais-je opposer sinon la recherche obstinée, tâtonnante, de mots perdus ? Pour devenir leur « libre » héritière, il me fallait rompre l'absolu d'un silence dont j'étais depuis toujours l'otage. Écrire devenait une tâche urgente.

À travers la concoction de la langue, l'indicible de leur passé ne m'empêcherait plus de vivre ma vie, séparée de la leur. Je ne serais plus l'enclos passif de leur détresse et de leur mutisme, mais l'héritière active de ma filiation. « Ce que tu as hérité de tes pères, acquiers-le pour le posséder. »

En revenant de chez eux, chargée de multiples sacs, valises, dossiers, et d'une lampe que mon père avait dessinée et réalisée dans les années soixante-dix, je me suis mise à ma table d'écriture et ai pris quelques notes à la volée, dans une sorte d'excitation qui faisait barrage aux sentiments multiples qui m'envahissaient. Sentiments difficiles à formuler à voix haute : entre douleur et délivrance.

La mort de ma mère si peu de temps après celle de mon père me les rendait terriblement présents, obsédants même. Ils occupaient toutes mes pensées, toutes mes actions. Je ne cessais mentalement mais aussi très concrètement d'évaluer et d'approfondir chaque aspect de mes liens avec eux à travers les années. C'était un concentré d'exploration psychique.

Je relus quelques-unes des lettres que je leur avais adressées. Je m'y livrais avec une sincérité à laquelle ils n'avaient jamais fait écho. Naïveté touchante qui me déstabilisait à présent, dont j'avais honte. J'aurais préféré ne pas me reconnaître dans ce miroir impudique, dans cette illusion de transparence, trop longtemps entretenue.

J'avais des mots en trop pour eux qui en manquaient. Cette disparité justifiait mon écriture, mais elle me renvoyait aux vertiges de la solitude que j'avais éprouvés en leur présence.

La détresse qui m'habitait avait été d'autant plus intense qu'elle était le double de leur propre détresse bien qu'ils n'aient pas pu y faire face, l'élaborer, la digérer, la métamorphoser, mais seulement tenter de l'endiguer, de la tenir tant bien que mal à distance. J'avais grandi sans pouvoir m'appuyer sur eux, épongeant leurs angoisses et leurs cauchemars sans que jamais rien n'en soit dit. Peut-être même n'en ont-ils jamais rien su.

Au contraire, on faisait comme si nous étions une petite famille sans histoire : papa, maman, la bonne et moi, alors que c'était : Hitler, Staline, l'Histoire et nous.

Ce pouvait être à la rigueur un sujet de discussion détaché de tout affect, jamais une rencontre, même balbutiante, à travers des mots et des émotions, une conversation entre parents et enfant. Ce qui hantait leurs nuits et leurs corps, surtout leurs pauvres corps avilis, mutilés, torturés, violentés dans un « là-bas » indicible, ils cherchaient l'un et l'autre à l'enfouir dans un oubli impossible. Leurs corps parlaient à leur place, douleurs d'estomacs, difficultés respiratoires, insomnies, stress, mal de dos, rêves de torture, cris déchirants la nuit. Mon corps, près du leur, était à leur image, imprimé par la guerre.

Je me réfugiais dans les livres, la musique, la peinture, la danse. Je cherchais dans l'art et la littérature l'expression de sensations et de sentiments qui à la maison erraient comme des fantômes insaisissables. Mes parents m'y encourageaient, cherchant même une complicité, qui m'isolait davantage. Ils étaient dupes, j'étais livrée à leurs démons que j'avais faits miens. Nos vies se télescopaient. Ma mère n'avait pas été gazée à Auschwitz, mais moi je vivais asphyxiée depuis toujours.

Sombre héritage.

Leurs langues étaient demeurées muettes, leurs papiers devenaient loquaces. J'avais un besoin vital de lire leurs archives, de les consulter dans leur matérialité même. Préciser les dates, noter les faits, regarder leur vérité comme une réalité, non pas seulement comme un fantasme terrifiant, hors du sens.

Émouvante et éprouvante symétrie : dans le petit tiroir fourre-tout situé au bord du lit du côté de mon père, je vis, enfoui sous les vieilles piécettes, montres et autres vide-poches, son matricule de prisonnier politique de guerre. Dans un autre lieu de la maison, je tombai quelques minutes plus tard sur un livre nazi, *Der Weg zum Reich*, que mon père, à la Libération, trouva jeté sur une banquette dans le train du retour et dans lequel il écrivit la seule confidence que j'aie jamais lue de sa plume : « Souvenir des derniers jours du "grand Reich". Trouvé le livre dans un wagon sur le chemin Wülzburg-Bruxelles. 15 mai 1945. Mon plus beau voyage. »

Je voulais savoir. Non plus être le contenant passif d'une trop grande douleur mais assumer l'histoire qui avait précédé ma naissance, comprendre l'atmosphère dans laquelle j'étais née. Me dégager d'un passé qui était resté entravé dans leurs poumons et m'avait empêchée de respirer librement. Les documents que je grappillai en divers lieux de la maison établissaient les faits, crus mais clairs et distincts, sans l'ombre d'une émotion, sans le risque d'une fusion mortifère.

Mon père fut arrêté en tant que Russe le 7 mars 1942 à l'université de Charleroi, en Belgique, « comme otage », précise un rapport de police. Il avait dix-huit ans. Il passa, jusqu'au 26 avril 1945, trente-huit mois au camp de travail de Wülzburg, dans la forteresse de Weissenburg en Bavière. Dans ses papiers je découvris aussi une photographie prise à l'heure de l'appel dans la cour et sa carte de prisonnier au Lager : *Ilag* XIII. Sur la photo d'identité, on le voyait tenant un tableau sur lequel le nombre 334 avait été inscrit à la craie.

C'était un très jeune homme au visage long et mélancolique, aux traits pâles et fins, avec d'abondants cheveux sombres et des lunettes toutes rondes qui lui donnaient un air de poète ou d'anarchiste. Il ne paraissait pas accablé, plutôt absent, comme s'il voulait offrir à l'ennemi un visage impénétrable, vidé de ses émotions, tourné vers soi-même. Peut-être s'était-il construit une cachette à l'intérieur de lui-même pour se soustraire à l'impuissance de sa situation, s'échapper de la prison de la terrible réalité. Libéré, peut-être n'a-t-il jamais complètement quitté cet abri, cette prison intime, qui l'avait sauvé, mais qui lui collait désormais à la peau.

De son incarcération, il ne me raconta jamais que des anecdotes tragi-comiques, le chat qu'il réussit à attraper et mangea avec un copain, dont il prétendait qu'il avait un goût de lapin, les jouets de bois qu'il fabriquait clandestinement à l'atelier pour les échanger contre du pain au moment de Noël, lorsque les gardiens allemands retournaient au village voir leurs enfants et qu'ils désiraient leur apporter des cadeaux malgré la guerre. Il se souvenait d'un prisonnier taciturne qui était le frère de l'assassin de Trotski. Il donnait à ses récits une touche d'humour et d'aventure qui me les rendait plus palpitants qu'effrayants. Il taisait la peur, la faim, l'humiliation.

Durant mon enfance, ses amis russes venaient le soir à la maison, ils riaient, parlaient trois ou quatre langues en même temps, écoutaient de la musique slave et mangeaient du bortch et des zakouskis, buvaient de la vodka avec des poissons fumés. Ils n'osaient pas retourner dans leur pays natal, de peur que les autorités soviétiques ne les contraignent à y rester. Plus tard, je rêvai que j'assassinais Brejnev pour libérer le pays de mes ancêtres. Étrange rêve d'accomplissement du désir : je lui plantais une aiguille dans le nez, il mourait tout en se transformant en vieille *babouchka*.

L'évocation de mes grands-parents paternels était chargée de douleur et de drame, l'un et l'autre avaient été assassinés. Ils n'avaient pas de tombe, ni de maison à vider. Rien. Il n'y avait aucun lieu où se recueillir en leur mémoire. Pas d'archives, de photographies, de traces de leurs vies. Je ne connaissais pas les lieux où ils étaient nés, avaient habité, s'étaient aimés. D'eux il ne restait rien, pas même une paire de lunettes ou un chapeau, le vide. Mon père n'avait pas été un héritier.

Du côté de ma mère, le petit tiroir au bord de son lit contenait parmi les traces habituelles de la vie quotidienne, mouchoirs froissés, médicaments entamés, pense-bêtes, clés, etc., trois petites boîtes plates dans lesquelles étaient disposées ses décorations françaises : la croix du Combattant volontaire de la Résistance, la médaille de la Déportation pour faits de résistance, et la croix du Combattant.

Enfant, je ne comprenais pas qu'une mère, une femme, ait des insignes militaires. J'en étais fière et troublée. Ma maman pouvait-elle être coquette et militaire ? L'ordre des sexes n'était-il pas inversé ? Et comment me révolter, me fâcher contre une héroïne, une résistante, une victime de la barbarie, sans me sentir jetée dans le camp des oppresseurs, des bourreaux ?

Sur les cartes qui accompagnaient les décorations, je lus les dates que je n'avais jamais pu mémoriser, jamais pu inscrire en moi.

Ma mère avait été déportée à Auschwitz du 11 août 1944 au 29 mai 1945. Elle avait vingt-trois ans au moment de son arrestation à Grenoble, le 10 juillet 1944. Une recrue de la Résistance lui avait maladroitement donné rendez-vous dans une impasse ; torturé par la Gestapo, le jeune homme avait lâché son contact, les Allemands attendaient ma mère à l'heure dite : « Tu es faite, ma petite. » Elle avait tenu sous la torture le temps que sa mère et ses amis résistants puissent se cacher. Le hasard, le sang-froid, l'âge et la volonté de se battre pour vivre, c'est à ces éléments que ma mère attribuait sa survie à Auschwitz. Notamment à un détail extraordinaire. Le jour de son arrestation, elle portait dans sa poche un insigne de la Croix-Rouge qu'elle avait trouvé par terre la veille. Cet insigne lui sauva la vie, en lui permettant de se déclarer infirmière à son arrivée au camp.

Quelques jours plus tard, en mettant de l'ordre dans son secrétaire, je trouvai parmi le papier à lettres, les timbres, les enveloppes doublées de soie, les rouleaux de scotch, les cartes de visite et le courrier en attente, un document unique : glissé dans une chemise de plastique, précieusement conservé, le petit morceau de papier sur lequel elle avait griffonné quelques mots au crayon à l'adresse de ses proches pour les rassurer sur son sort. Ce petit bout de vie précaire, elle l'avait écrit dans le convoi n° 78 qui partit de Lyon le 11 août 1944 avec environ 650 personnes par le train n° 14166, composé de neuf wagons, qui traversa la France par Mâcon, Chalon-sur-Saône, Chaumont, Vittel, Épinal et Belfort, et arriva à Auschwitz le 22 août. Le petit morceau de papier déchiré, elle le donna furtivement à un membre de la Croix-Rouge en lui demandant de bien vouloir le faire parvenir à sa famille ou à ses voisins à Tours. Une amie le conserva sans savoir si elle reverrait jamais celle qui l'avait écrit. D'une écriture ferme elle avait noté ces mots :

« 14 août à Chaumont. Nous sommes en route vers l'Est, ne pouvant pas aller à Paris. Le moral est bon. J'ai du courage. J'espère que nous nous retrouverons bientôt. La Croix-Rouge est très chic. Je vous embrasse tous, Édith. »

## Inceste blanc

Ces quelques mots confiés à la bienveillance d'une Inconnue, arrachés au convoi de la mort en gare de Chaumont, reposaient là devant moi, sauvés du chaos et de l'oubli, retrouvés par une survivante, une revenante.

Ce petit bout de présence, je le glissai dans un classeur où se joindraient d'autres empreintes et vestiges échappés de la masse des papiers qui sortaient de tous les replis de la maison comme une foule un jour de manifestation. Il me semblait les entendre crier, ces voix du passé, comme si elles voulaient que je les écoute toutes sans en oublier aucune. Elles se pressaient autour de moi,

m'encerclaient comme la mélopée ensorce-
lante des sirènes murmurant à mon oreille :
souviens-toi ! souviens-toi !

De tous les coins et recoins émergeaient
toujours davantage de feuilles, d'enveloppes,
de cartes, de notes, de cahiers, de petits carnets, de photocopies, de photographies, de
plans, de brouillons, de listes, de pense-
bêtes. J'en avais le tournis.

Devais-je, par fidélité, conserver ces infimes
fragments de vie ? Leur étais-je enchaînée ?
Mon père et ma mère avaient peut-être
inconsciemment cherché à ensevelir l'horreur sous l'abondance de l'anecdotique, du
quotidien, des petits bonheurs soutirés à
la vie, au coup par coup, c'est toujours ça
de pris à l'ennemi. Chacun garde intention-
nellement ou par hasard, par paresse, par
lassitude, des tas de paperasses. Mes parents
avaient conservé presque toutes les strates de
leur vie, tout ce qu'ils avaient pu sauver du

néant : bouclier imaginaire contre le vide qui demeurait en eux ? Mais en quoi cela me concernait-il à présent ? Je n'étais pas censée, en devenant leur héritière, me faire leur psychanalyste. J'étais partagée entre l'envie de poursuivre mon exploration et le désir de plus en plus puissant de bazarder le tout. La curiosité m'en empêchait encore.

Tel un enquêteur obsessionnel, un Sherlock Holmes ou une Miss Marple à la recherche de la scène primitive, il ne m'aurait pas été très compliqué de reconstituer leurs faits et gestes grâce à dix ou vingt indices épars. Je pouvais retracer leurs déplacements à travers le monde, leurs vacances, leurs achats, leurs loisirs, leurs goûts : agendas entassés au fil du temps, billets d'avion, de train, itinéraires en voiture, notes de restaurant et d'hôtel, entrées de musée, programmes de théâtre, prospectus touristiques, plans de ville, cartes postales, dépliants de curiosités à visiter...

Plus sombre et dérangeant : des « carnets de santé » tenus minutieusement par ma mère des années durant avec listes de médicaments, rapports de médecin, radiographies, archives d'un accident de voiture comprenant les éléments médicaux rassemblés à l'occasion du procès intenté contre la partie adverse (une dame fortunée en voiture sport qui avait déjà, lors d'un accident précédent, tué un piéton, coupable d'avoir brûlé une nouvelle fois un feu rouge et d'avoir projeté ma mère et sa légère petite voiture italienne contre une façade), etc.

Plus gais : les plans de leur maison (mais aussi toutes les esquisses qui les avaient précédés, les factures détaillées de la construction, la maquette, etc.), des coupures de presse sur tout et sur rien, notes prises à des cours de langues, des conférences, des correspondances, des faire-part, des cartes de vœux, des diplômes, des modes d'emploi, des publicités, des télégrammes… S'écoulant de boîtes à chaussures, de pochettes, d'enveloppes de papier, de plastique ou de cuir, des lettres et des cartes postales du monde entier et encore des lettres, souvent les miennes évidemment.

Retrouvées, sans que j'y sois préparée, dix, vingt, trente ans après les avoir écrites, elles étaient pénibles à relire mais pas moins pénibles à jeter sans être relues. D'abord émouvant, ce face-à-face avec soi-même que l'on n'a pas choisi devient rapidement pesant. J'avais envie de crier : assez! ça suffit!

Après m'être demandée très longtemps – trop longtemps? – si j'avais le droit de déchirer ce qu'ils n'avaient pas eux-mêmes jeté à la corbeille, après avoir tourné et retourné encore quelques vieux papiers hors du temps entre les doigts, je fus prise d'une furie de jeter. Comme dans un jardin devenu jungle, le bonheur de couper, d'élaguer, de tailler dans le vif, s'était emparé de moi. Je m'y livrai avec la volupté de faire enfin le vide. Je précipitai ces bouts de papier fanés dans d'immenses poubelles qui s'alourdissaient jusqu'à devenir insoulevables comme parfois la mémoire empêchée de s'éteindre dans l'oubli.

Je ne sauvai du massacre que quelques mots doux de mon père à ma mère, avec ses malicieux dessins de soleil, de vaches, d'oiseaux, ou d'amoureux, qui portaient les surnoms qu'ils se donnaient depuis leur rencontre : Pieps et Paps.

Retrouver un morceau de papier couvert de leurs calligraphies réveillait la nostalgie. L'écriture, comme la voix, est une émanation du corps. Mais la voix s'éteint, la graphie reste.

Le tracé de leurs jambages, des hampes de leurs consonnes, la courbe de leurs voyelles avaient piégé leurs présences, donné une intensité à leur absence. Je ne pouvais plus toucher ou regarder leurs visages vivants, mais je pouvais encore effleurer du doigt leurs écritures familières, elles n'étaient pas mortes.

Je glissais dans des chemises transparentes les lettres, les cartes, les documents qui témoignaient de leur histoire. Je les classais par ordre chronologique. Leurs vies se dessinaient. Sommes-nous tous voués à écrire l'histoire de nos parents ? Même après leur mort, ne cessons-nous jamais de vivre pour eux, à travers eux, en fonction d'eux ou contre eux ? Est-ce une dette qui nous poursuit toujours ?

Au fil des années les marques des drames de la guerre et de la déportation s'étaient atténuées, la vie s'écoulait avec une certaine douceur, une certaine bienveillance. Puis, dans les derniers temps, la mémoire du passé s'était faite à nouveau plus présente. L'un et l'autre avaient souhaité inscrire leurs témoignages avant de disparaître pour que les générations futures ne puissent pas dire : « On ne savait pas. »

Ils avaient voulu retrouver la trace de leurs disparus, mener des recherches pour vérifier la date de leur déportation, le numéro du convoi qui les avait conduits dans les camps de la mort, faire inscrire leurs noms sur des monuments commémoratifs, des murs de noms, des bases de données, afin que chaque mort retrouve son identité, sa singularité, son humanité. Ce n'était pas de leur part un devoir anodin mais un dernier combat de la mémoire.

Parmi les papiers qu'ils avaient collectés et préservés pour me les transmettre, se trouvait une lettre de la Croix-Rouge néerlandaise qui annonçait à mon père le 10 novembre 1949 que sa mère, née le 23 septembre

1879, avait été prise en Hollande et déportée à Auschwitz. Selon une liste allemande, nommée « Judentransport aus den Niederlanden », à la date du 2 novembre 1942. À la page 44 du document, son nom étant inscrit face au numéro 1089. « Comme la plupart des déportés ont été directement gazés [*vergast* en néerlandais] et brûlés dans les crématoires [*gecremeerd*] », le directeur de la Croix-Rouge hollandaise écrivait que Mme « Rosa Widenski-Flem mourut vraisemblablement le 5 novembre 1942 ».

Cette déclaration sur papier à en-tête de la Croix-Rouge fut son seul tombeau.

Une lettre du Centre de documentation juive contemporaine, datée du 11 janvier 1999, m'apprit que, selon le vœu de ma mère, les membres de sa famille déportés de France avaient été inscrits dans le volume IV du Livre du Souvenir, conservé dans la crypte du Mémorial où chaque année se déroule une cérémonie dédiée aux victimes sans sépulture de la Shoah. Je l'ignorais. Elle ne m'avait jamais dit non plus que la plus grande partie de sa famille avait été déportée à partir du territoire français. Ma grand-mère, qui fut sauvée grâce aux religieuses du couvent Notre-Dame-de-Sion, près de Grenoble, ne m'avait pas davantage parlé de sa mère, de sa sœur ni de ses frères et belles-sœurs qui avaient péri assassinés par les nazis. Ou n'avais-je pas pu l'entendre tant elles n'avaient pas voulu que je le sache ?

En prenant connaissance de cette énumération, je les accueillais et les perdais dans le même instant. Pensant à eux, je pouvais les mettre en terre alors qu'ils disparurent en fumée dans les nuages du ciel de Haute-Silésie. Ils retrouvaient leur place d'êtres humains morts parmi les êtres humains vivants :

Friedrich Kaufmann, un grand-oncle maternel, né le 30 juin 1898 à Cologne, déporté de Drancy à Auschwitz par le convoi n° 33, en date du 16 septembre 1942 ;

Bertha Kaufmann, mon arrière-grand-mère, née le 24 août 1860 à Oberembt (Allemagne), et sa fille Irène, née le 18 novembre 1893 à Jülich, déportées de Drancy à Auschwitz par le convoi n° 45, en date du 11 novembre 1942 ;

Julius Kaufmann, mon grand-oncle, né le 17 février 1899 à Jülich, et son épouse Ruth, née le 4 décembre 1908 à Brême, déportés de Drancy à Auschwitz par le convoi n° 47, en date du 11 février 1943.

Les morts ne flottaient plus autour de moi comme des fantômes menaçants. Les morts, même atrocement assassinés, redevenaient des morts. Je cessais d'être le petit enfant qui, s'imaginant cadenassé dans la chambre à gaz, retenait sa respiration pour ne pas aspirer le poison et mourir.

Dit-on assez aux enfants des survivants de génocide, du Rwanda, du Cambodge, d'Arménie ou d'ailleurs, qu'il faut du temps au temps pour que leurs morts deviennent des morts, et les survivants, des vivants parmi les vivants ?

Lorsque ma mère, dans ma petite enfance, concluait toutes ses tentatives pour dire l'horreur inouïe qu'elle avait vue et vécue dans les camps d'extermination par : « on ne pourra jamais dire ce que nous avons subi, c'est impossible à raconter », j'étais envahie par une sensation d'impuissance sans bornes. Mon père ordonnait à ma mère de se tourner vers l'avenir, de ne pas solliciter les souvenirs, de ne plus parler de « tout ça ». Ils me laissaient seule avec l'effet de ces paroles inachevées. Ils ne mesuraient pas la résonance de leur détresse muette. Avaient-ils oublié que même les très jeunes enfants cherchent à comprendre ce qu'ils entendent et surtout veulent découvrir le sens caché de ce qui leur est dissimulé ?

Ma pauvre imagination enfantine tentait de combler les blancs de leurs récits, cherchait à se représenter ce qu'avait pu vivre ma mère de si terrible. Ma mère, c'est-à-dire le corps maternel, le corps de celle qui m'avait portée dans son ventre, qui me tenait dans ses bras, sur ses genoux, dont je pouvais toucher et sentir la peau. Qu'était-il arrivé à cette peau si douce et parfumée, à ce giron si tendre, à ces bras aimants ? Comment jouir de cette tendresse maternelle en m'approchant d'un corps qui avait été tabassé, rasé, tatoué, affamé, humilié, dont on avait industriellement prémédité la disparition ?

Mon corps n'était pas encore complètement distinct du sien. L'évocation de violences, de tortures, de sévices perpétrés sur le corps maternel, mêlée à mon expérience sensorielle de cette peau laiteuse, de ce souffle chaud, de ces regards doux, rendait la proximité corporelle inquiétante, infiltrée de fantasmes sexuels sadiques à la limite de la conscience. Aucune image précise ne m'envahissait mais une sensation diffuse de danger, la perception d'un lien obscur, trouble, entre le sexe et la mort. La terreur infiltrait ma curiosité sur les choses sexuelles. Tout se confondait, le désir et la plus vive angoisse.

La nuit il me venait d'étranges idées cauchemardesques, des soubresauts me traversaient, que je ne pouvais pas reconnaître comme miens. Le corps à corps archaïque de la mère et de l'enfant se chargeait d'images insoutenables. Comment y échapper? Où trouver un abri? À qui faire confiance? Mes parents ne m'avaient ni confiée au monde ni protégée d'effrois intérieurs. Inceste blanc.

Quelques semaines après la mort de ma mère, deux ans après avoir enterré mon père, je pouvais lire des mots qui mettaient fin à l'aliénation du silence, à la trop forte proximité fantasmatique.

Oserai-je le confier à ces pages ? En perdant mes parents, je perdais aussi des identifications paralysantes, terriblement angoissantes. En me quittant, ils me libéraient de leur emprise muette. Ils étaient morts. J'allais enfin pouvoir les rencontrer.

# Matrimoine

Farfouillant dans des tiroirs emplis de linge ancien brodé aux monogrammes de ma grand-mère ou de mon arrière-grand-mère, je vis, attaché à un petit sachet transparent qui enveloppait deux cintres recouverts de mailles en laine bleue, un petit mot sur lequel ma mère avait écrit, sans doute à mon intention : « crocheté par Bertha Kaufmann vers 1920 ».

Ma mère avait donc pris, à une date inconnue, le soin extrême d'anticiper ma découverte future. Elle savait que j'aurais un jour à faire ce travail éprouvant, nostalgique, déchirant, de choisir ce qu'il fallait garder ou pas dans la maison familiale. En prévision de ce moment où elle ne serait plus là, elle m'avait laissé cette indication. Elle avait voulu retenir mon regard. Comme si elle s'adressait à moi, *post mortem*, pour me dire : « Attention, ceci est précieux, conserve-le ou rejette-le en sachant l'origine de cet objet. C'est ton arrière-grand-mère qui a réalisé cet ouvrage au crochet. J'aimerais que tu le gardes en souvenir d'elle et de moi. Donne-le à tes enfants et aux enfants de tes enfants. Voici le témoignage d'une longue lignée de femmes habiles de leurs mains, attentives au beau linge, soucieuses du bien-être de leur famille, prends-en bien soin, comme je l'ai fait avant toi. C'est notre "matrimoine". »

Miraculeusement préservée des guerres, des déménagements et des exils, une partie des trousseaux de plusieurs générations de jeunes mariées de ma famille maternelle se trouvait là. Parmi les piles de linge brodé à la main, ma mère avait privilégié ces deux cintres recouverts d'un manteau de laine, crocheté à petits points par sa grand-mère maternelle pendant les années heureuses de son enfance. De ces draps et de ces nappes de lin, de métis damassé, de ces dentelles précieuses, elle ne me disait rien. Que pouvais-je en faire? Les serrer à mon tour dans de grandes armoires en chêne sentant bon la lavande que je ne possédais pas? Où étaient les grandes tablées d'autrefois pour les accueillir sous la lumière des grands bougeoirs, des services de porcelaine, des couverts d'argent et des serviettes fraîchement empesées? Ce monde n'était plus, un tel mode de vie n'existait plus. Je n'avais pas été éduquée pour me marier et tenir une maison selon les règles d'autrefois. Le savoir-faire de mes ancêtres ne m'avait pas été transmis.

Mes matriarches du temps passé, vous qui viviez il y a quatre, cinq, six ou sept générations, Agnès, Sophie, Julia, Regina, Caroline, Amalia, Bertha, je vous salue à travers vos nappes et vos draps blancs. Je pense à vos destins de femmes courageuses et fortes. Vous avez cueilli les fruits de la vie, vous l'avez transmise, elle m'a traversée à mon tour. Ne m'en veuillez pas, je suis fille de mots et de papier. De vos trousseaux je ne garderai que quelques pièces, les plus belles, en souvenir de vous. Ne me demandez pas de laver à la main ces tissus précieux, de les calandrer, de les amidonner, d'en raccommoder les accrocs, d'en ravauder les déchirures. Votre arrière-arrière-petite-fille a troqué l'aiguille pour le porte-plume et le stylo électronique.

Armoires, penderies, garde-robes, tout débordait de vêtements et de linge : repassés, pliés, rangés en piles régulières, parfois même glissés dans des sachets de plastique ou entourés de papier de soie dans de petites boîtes, des dizaines de pulls, chemisiers, blouses, caracos, débardeurs, tee-shirts, reposaient là, attendant peut-être d'être encore portés et admirés. Ils avaient toutes les couleurs de l'automne, celles qu'aimait ma mère : du brun doré au marron clair, de l'orangé au miel, du « camel » à l'ivoire, du roux au brun « tête de nègre », avec par-ci par-là quelques teintes inattendues, amarante, violine ou bleu d'azur, avec des rayures contrastées, des imprimés vifs, dans des matières précieuses. Tout était impeccable, comme neuf, disposé comme dans une boutique de luxe.

Ma mère tenait beaucoup à la distinction et à l'élégance. Elle se disait révolutionnaire à vingt ans, mais n'avait jamais cessé d'avoir un faible pour les belles « toilettes ». À ses yeux je n'étais jamais assez « nette ». Enfant, mes cheveux demeuraient indisciplinés, mon col de chemisier ne restait pas longtemps blanc ; avant la fin de la journée, ou même au cours d'une visite, tout bougeait de travers sur moi : mes chaussettes se tortillaient autour de mes jambes et bâillaient vilainement sur mes chaussures, mes lacets se défaisaient, mes nœuds étaient maladroits, ma jupe tournait autour de ma taille, mon chemisier se plissait vilainement, tout m'échappait, une vraie catastrophe.

Ma mère, elle, n'avait pas un cheveu qui dépassait de sa mise en plis, ses ongles étaient impeccablement laqués, ses sourcils redessinés au crayon, la couture de ses bas bien centrée à l'arrière de ses jambes, ses chaussures et son sac assortis et cirés. Sa mise était classique, sobre : dans les camaïeux de beige la plupart du temps ; en bleu, blanc, rouge au printemps. Ma mère s'habillait avec une élégance un peu austère, presque raide, mais il lui arrivait de rompre cette ordonnance pour arborer le temps d'un après-midi ou d'une soirée un ensemble excentrique très « couture ».

Il y avait chez elle une démesure sous la distinction, un curieux mélange d'excès et de contrôle. Elle avait sûrement peur de ses enthousiasmes, de ses passions, cherchait à les brider. Le feu couvait sous la cendre. Elle réprimait chez moi ce qu'elle ne supportait pas chez elle : la fougue, le désordre, l'insouciance, la sensualité.

Dans sa jeunesse, elle avait appris la couture. Elle fut pendant quelques mois, à Tours, « petite main » dans un atelier de mode. Sa grand-mère avait été modiste, elle tenait un magasin et vendait les chapeaux qu'elle confectionnait. Ma mère garda toute sa vie la passion de la mode, qui la rattachait à cette grand-mère l'ayant en partie élevée et pour qui elle n'avait éprouvé que tendresse et admiration. Celle-ci aimait répéter que ce que des mains avaient façonné, d'autres mains pouvaient aussi le façonner. Ce fut le credo de ma mère.

Je l'ai toujours vue coudre. Elle achetait des patrons et les épinglait sur le tissu qu'elle avait choisi, soie, laine, mousseline, velours. J'aimais la voir tracer d'une mince craie blanche les contours des pièces de tissu, couper des lés, « bâtir » le vêtement puis faufiler avant de retirer les épingles pour le premier essayage. Souvent elle ne bâtissait qu'une demi-robe avant de monter l'ensemble. Elle se regardait dans le miroir, emballée de papier de soie crissant, soutenant sa robe en devenir au creux de l'estomac, pliant le coude pour évaluer la longueur d'une manche, le tombé d'une emmanchure, le creux d'un pli, fronçant les sourcils, quelques épingles à tête de couleur au coin de la bouche. Parfois elle me demandait de remonter une épaule en y glissant quelques épingles, je m'y piquais, je criais, elle me sermonnait. Elle m'expliquait que les couturières professionnelles mâchonnaient toujours du fil blanc qu'elles sortaient de la bouche pour essuyer les gouttes de sang qui perlaient au bout des doigts. La robe, la jupe, la veste presque achevée, elle l'assemblait complètement puis cousait à la machine de fines et solides coutures en fil de soie parfaitement assorti à la teinte de l'étoffe. Ton sur ton. Elle achevait son ouvrage en réalisant les ourlets à la main.

J'adorais la voir faire des boutonnières, des lichettes, glisser de petits liens sous les bretelles pour y retenir le soutien-gorge et l'empêcher d'apparaître, coudre les petits coussins chargés d'absorber la transpiration sous les bras pour éviter de tacher la laine ou la soie en y laissant une déplaisante auréole. Pour une robe du soir qu'elle porta une seule fois, lors d'un mariage, elle passa des heures entières pendant plusieurs semaines à la recouvrir de paillettes aux reflets irisés.

Vingt, trente, quarante ans plus tard, je me tenais devant la garde-robe ouverte et contemplais ces robes qu'elle avait cousues à la main avec une patience infinie, une attention sans faille, toujours prête à défaire ce qu'elle n'estimait pas impeccable. Elle était une infatigable Madame Parfaite.

Je la surprenais souvent à tirer légèrement la langue en dehors de la bouche en signe d'effort et de concentration. Il ne fallait pas la déranger. Elle retenait son souffle pour rectifier, corriger, retracer la courbe d'un évasé, le creux de l'aisselle, la découpe d'une cambrure, l'arrondi d'un décolleté, la ligne d'un revers, le « tombé » d'une jupe. Elle utilisait des mots merveilleux que personne d'autre ne prononçait : guipure, fronces, crêpe de Chine, passepoil, point de feston, godets, lés, volants…

Comme dans un musée de la mode, je pouvais suivre l'évolution de la silhouette d'une femme à travers les années soixante, les Seventies, les années quatre-vingt, la fin du siècle. Elle avait tout conservé et les souvenirs affluaient apportant avec eux la mémoire olfactive de son parfum : le Chanel n° 5. Parfum d'une génération de mamans. Je suis l'enfant de ce bouquet mythique qui enveloppa la nudité radieuse de Marilyn. Là, dans la pénombre de la profonde armoire, je retrouvai la petite robe noire taille basse à la jupe virevoltante et aux manches de dentelle noire qu'elle portait au mariage d'une amie à Berlin en 1970. Serrée contre elle, la robe en laine rouge coupée sous la poitrine, dite taille princesse, qu'elle agrémentait d'un merveilleux médaillon de sa grand-mère dont je rêvais qu'un jour je le porterais à mon tour. L'ensemble en soie sauvage couleur de perle avec la blouse assortie, parfaitement boutonnée sur son cintre de bois dérobé dans un grand hôtel, la robe d'été orange qui m'évoquait les vacances heureuses de ma petite enfance à Saint-Raphaël ou à la Foresteria à Torre del Lago-Puccini. Et aussi la robe en voile de soie légère comme un souffle, la robe de cashmere rouge, la robe à plis en shantung, l'ensemble pantalon en soie sauvage bleu océan, la jupe chamarrée en taffetas, le tailleur beige et la jupe longue damassée.

Qu'allais-je faire de cette garde-robe qui témoignait si intimement de son savoir-faire, semblait garder non seulement la forme de son corps, de ses gestes, mais était habitée de son talent, de son goût très sûr, de son âme d'artiste ? Je refermai l'armoire, découragée : je n'aurais jamais le cynisme ni de jeter ni de vendre, ni de céder à quelques femmes anonymes ces robes dérobées au temps qui passe, soustraites à la vieillesse et à la maladie, merveilleusement intactes, toujours parfaitement belles.

Je laissai passer quelques jours. Je rouvris la porte et commençai à sortir de l'armoire ce qui se trouvait déposé sous les vêtements pendus. De grands sacs de plastique remplis à la hâte contenaient des chapeaux d'hiver à n'en plus finir, des sacs en cuir datant des années quarante. Tapie au fond, sous un monceau d'écharpes, de gants, de châles, de chaussettes et de fleurs en tissu protégées par des boîtes transparentes, je découvris un grand sac ayant appartenu à ma grand-mère. Je l'ouvris et demeurai stupéfaite. Il contenait exactement ce que la mère de ma mère y avait déposé les derniers jours de sa vie.

Depuis sa mort, en février 1979, près de vingt-cinq ans plus tôt, ma propre mère ne l'avait pas vidé ; peut-être ne l'avait-elle même pas ouvert, le glissant au fond de l'armoire sans pouvoir y toucher. Il me revint en mémoire qu'elle ne vida pas elle-même le petit appartement qu'occupait sa mère à la fin de sa vie, elle m'en chargea. Pourquoi me laissa-t-elle, seule, déjà, débarrasser les armoires de ma grand-mère? Éprouvée par cette expérience, je l'avais commentée en jetant à ma mère ces paroles plutôt cruelles : « J'espère que toi au moins tu laisseras des papiers en ordre! » Elle y veilla. Mais il m'était réservé de faire l'inventaire du sac de ma grand-mère, tel qu'il resta figé à l'instant de sa mort. Je fis glisser les attaches et l'entrouvris.

Des bonbons y reposaient, collés aux mailles d'un filet à provisions blanc et jaune, comme émergeant d'un filet de pêche. Poisseuses mais toujours emballées de coquets papiers transparents multicolores, les friandises semblaient attendre d'être offertes à quelques gentils diablotins. Ma grand-mère ne manquait jamais d'avoir sur elle, au fond de ses poches ou de son sac à main, quelque douceur à donner aux enfants qu'elle rencontrait. Toute sa vie elle avait agi ainsi, elle aimait plaire, à tous et à chacun. Elle séduisit beaucoup de monde, sauf sa propre fille. Ma mère ne lui pardonna jamais de préférer le cinéma et le tennis à ses devoirs maternels. Ma grand-mère se rattrapa avec moi. Elle m'offrit, dans son âge mûr, la tendresse qu'elle n'avait pu accorder dans sa jeunesse à sa fille. Elle était pour moi une grand-mère gâteau. Elle me confectionnait de merveilleux cakes marbrés, des bouchées à la reine succulentes, des pâtes qu'elle pétrissait avant de les faire sécher sur le dossier de chaises qu'elle gardait à cet effet dans sa vaste cuisine.

Bavarde, généreuse, elle me semblait comme toutes les grands-mères le contraire de ma mère, exigeante, sévère et impossible à satisfaire. À la saison des framboises, elle m'invitait à rassembler le plus grand nombre possible de camarades de jeux pour en faire la cueillette dans son jardin. Elle se réjouissait de nous voir barbouillés de rouge, riant de cette récolte abondante et nous encourageait à rester auprès d'elle, nous autorisant à utiliser ses draps blancs pour en faire des tentes, à jouer avec les poids de sa balance de cuivre, à nous déguiser avec ses chapeaux et ses foulards. Je crois bien que c'est son rouge à joue et son Rimmel qui ont servi à m'essayer au premier maquillage.

Son rouge à lèvres s'appelait Rouge baiser. Je m'en tartinais la bouche et m'inventais des séductions futures. Elle était volontiers complice de mes rêves de petite femme. C'est elle qui me parla la première des règles et des garçons qui vous coincent dans les coins. Je faisais du patin à roulettes devant chez elle et je me souviens encore d'un petit voisin tout blond qui courait après moi en essayant de m'attraper et de me couper les tresses. Ma grand-mère, que tout le monde appelait affectueusement Mémée, était un personnage haut en couleur, vive, nerveuse, parlant trop fort en agitant les mains, comme une Italienne ou une Espagnole. Je ne lui ai jamais connu de cheveux blancs, elle se teignit jusqu'à la fin de sa vie et mourut dans son lit, un jeune amant à ses côtés. Je voudrais mourir comme elle, en amoureuse.

Son sac, je l'ai vidé objet par objet. J'y ai trouvé, outre les bonbons, quelques morceaux et un sachet de sucre orné du chat noir d'une marque de café, un fichu pour la pluie et de nombreuses photos : celles de sa propre mère, de sa fille et de sa petite-fille, celle de sa sœur Irène, au doux visage, photographiée en 1935, dont je porte depuis plus de vingt ans la bague de quartz noir taillé en un sobre rectangle au milieu duquel brille un petit brillant. Je tiens particulièrement à ce bijou auquel il est arrivé mille mésaventures, mais qui, avec une fidélité sans faille, a toujours retrouvé le chemin de mon médium. Sur l'une de ces photos, on me voit, longue bringue de neuf ou dix ans, aux jambes trop vite grandies, l'air un peu ahuri, une jupe plissée trop courte, un pull à rayures de marin, en compagnie de ma grand-mère chapeautée et souriante. Nous semblons ravies d'être ensemble au bord de la mer du Nord, complices comme seuls le sont les petits-enfants et leurs grands-parents.

Miraculeusement préservé du sucre répandu, demeurait un dessin que je lui avais donné quelques années avant sa mort, témoignage d'affection qui n'avait plus quitté son sac à main. Elle m'avait aimée ; j'espérais avoir hérité d'elle sa vivacité, sa curiosité, son humour, son affection parfois exubérante, ses talents de pâtissière et sa capacité à lier avec n'importe qui n'importe où. Elle avait une passion pour les brocantes, les salles des ventes et les marchés aux Puces. Elle chinait plusieurs fois par semaine et faisait collection de tapis persans et d'argenterie. Je regretterai toujours la petite boîte en forme de cœur, délicatement ouvragée, que ma mère et moi l'avions incitée à revendre. Elle avait l'œil et ramenait fiévreusement de petits objets ternis et sans charme qu'un astiquage assidu rendait à leur beauté première. Elle m'avait enseigné quelques trucs pour marchander, m'engageant à ne jamais montrer de prime abord d'intérêt pour ce qui me tenait réellement à cœur et que je pouvais espérer emporter à un bon prix après avoir feint de m'attacher à un autre objet de convoitise. Au fond, ce qui l'amusait, c'était surtout le commerce humain, la conversation, le jeu des ruses réciproques, le temps donné à l'échange, la valeur de la parole.

Je fis les gestes difficiles que ma mère s'était refusée à faire. Sans doute existait-il des gestes d'adieu aux objets des morts comme on en accomplissait pour les disparus eux-mêmes. Rituel du feu plutôt qu'enfouissement dans la terre, dons aux plus déshérités, cadeaux aux amis, souvenirs glissés au fond d'un tiroir, bibelot négligemment posé sur un bord de fenêtre, dessin, photographie ou lettre remisés entre les pages d'un livre de chevet. Les bijoux des femmes de la famille connaissent souvent un autre sort, on les glisse aux doigts, passe aux poignets, au cou, aux oreilles, ils circulent d'une génération à l'autre, de peau à peau. Les bijoux n'aiment pas rester dans leurs boîtes, ils s'éveillent et rayonnent au contact de la chair. Ma grand-mère m'avait donné de son vivant la bague de sa sœur, deux longs colliers et un petit poudrier en sautoir, bijoux que je n'ai jamais cessé de porter, de même que les paires de boucles d'oreilles et les bracelets dont ma mère me fit cadeau. Mais l'objet qu'elle me transmit et auquel je tiens le plus, mon héritage le plus précieux sans que je puisse dire pourquoi, ce sont de petits ciseaux en argent pour couper les grappes de raisin.

Bizarrement, pour la première fois de ma vie, je commençai à porter des couleurs qu'affectionnait ma mère et que je croyais à elle seule réservées. Pendant quelques jours, je mis ses boucles d'oreilles préférées et l'un de ses foulards. Je ramenai chez moi le carré de soie racontant les voyages autour du monde des amoureux de Peynet qu'on lui avait offert dans les années cinquante. Je me souvenais qu'à l'âge de quatre ou cinq ans je pouvais passer des heures, allongée sur le lit de mes parents, à suivre les pérégrinations de ces deux jolis voyageurs, imaginant qu'à mon tour, un jour lointain, je ferais de même... « Vous m'emmenez, chéri, je me ferai toute petite... »

Mais qu'allais-je faire de son exceptionnelle garde-robe ? de cette collection presque « haute couture » de modèles uniques, cousus main et signés dans les poches ou les cols, où ma mère avait attaché une étiquette « hand made by Mami » en ajoutant à la main la date de leur finition. Je ne pouvais moi-même porter aucune de ses robes, elles n'étaient pas faites pour moi. Il me vint alors une idée : peut-être une amie norvégienne accepterait-elle d'en essayer quelques-unes, juste pour voir.

L'essayage eut lieu quelques jours plus tard et nous surprit toutes les deux bien au-delà de ce que j'avais pu imaginer. Ce fut un choc, une révélation. Bien qu'elle n'eût, en apparence, en aucune façon la silhouette de ma mère – elle était bien plus grande et élancée –, ces vêtements conçus et réalisés pour une autre prenaient sur mon amie une allure folle. Elle les habitait tout à fait différemment de leur conceptrice initiale, ils bougeaient merveilleusement sur elle. À travers son regard à elle, émerveillée comme une petite fille à qui une fée offrirait des robes de princesse, je pouvais rendre hommage au talent de ma mère. Elle goûtait chaque détail, chaque raffinement de la coupe, la beauté d'un tombé, d'une découpe originale, du mouvement d'un pli, d'une courbe, la douceur de la matière, la finition parfaite, même invisible à l'œil nu. Peut-être prenais-je pour la première fois conscience de l'œuvre réelle que représentait cette garde-robe maternelle. Une à une j'en tendais les pièces à mon amie, qui les essayait en se regardant tour à tour dans le miroir de la chambre et dans celui de mes yeux.

Nous étions l'une et l'autre prise dans un cercle magique. Quelque chose d'inattendu, d'inespéré, était en train de se produire. Elle comblait ses rêves d'enfant, moi, j'accomplissais le vœu que ma mère n'avait pas exprimé mais que je lui prêtais : voir tous ses habits, créés et réalisés avec amour et doigté, admirés et mis en valeur, portés avec élégance et simplicité.

Cette même scène se répéta plusieurs fois au cours de l'été. Petit à petit, toute la collection de vêtements changea de mains. Mon amie se les réappropria à sa façon, inventa de nouveaux accords, de nouveaux mélanges, elle leur donna une nouvelle vie.

Une robe ne meurt pas.

# Objets orphelins

Les choses ont leurs secrets,
les choses ont leurs légendes,
mais les choses nous parlent
si nous savons entendre.

DROUOT, BARBARA

Les objets vivent plusieurs fois. Transmis
à de nouveaux propriétaires, garderont-ils
quelque trace de leur existence antérieure ? Il
n'est pas indifférent de les imaginer ailleurs,
dans d'autres mains, pour des usages qui se
superposeront à ceux qu'ils ont précédem-
ment connus. J'avais besoin de croire que
ceux qui avaient été choisis et soignés par
mes parents seraient aimés, investis, choyés
par leurs nouveaux acquéreurs. Pour les donner sans regrets ni culpabilité, je voulais pen-

ser qu'ils s'useraient et vieilliraient entourés d'attention. Les choses ne sont pas très différentes des personnes ou des animaux. Les objets ont une âme, je me sentais chargée de les protéger d'un trop funeste destin.

Combien d'heures avais-je déjà passées à les soupeser, à me laisser envahir par les souvenirs, à rester indécise, ne sachant qu'en faire, voulant tout à la fois m'en séparer et les conserver ? Je les prenais en main comme pour leur dire adieu puis, lasse, les reposais dans un carton, remettant à plus tard une décision encore trop déchirante.

Les jours où je désespérais de voir jamais la maison se vider, j'étais généreuse, prodigue même. Les jours où le courage me revenait, la tête bien posée sur les deux épaules, je poursuivais mon travail d'héritière fourmi. Je jetais parcimonieusement, offrais à bon escient, vendais au meilleur prix et emmenais chez moi tout ce qui pouvait y trouver sa place : des livres dans ma bibliothèque, de la vaisselle dans mes armoires, des flacons dans ma salle de bains, des tableaux sur les murs.

Ma maison n'était pas élastique, je ne pouvais pas jouer aux vases communicants : vider d'un côté pour emplir de l'autre. Ma saine agressivité s'émoussait-elle ? Je me faisais la leçon. « Les objets doivent circuler. Ils vivront longtemps après nous ou disparaîtront, fanés, déchus, sans que personne ne les pleure. Ils n'appartiennent à personne en propre, ils nous sont confiés pour un temps. Leur ronde doit se poursuivre. À chacun son tour d'en jouir. »

Des visiteurs occasionnels, jetant discrètement un regard circulaire autour d'eux, mesurant la tâche qui me restait encore à accomplir, ne pouvaient s'empêcher de me regarder avec pitié et commisération, et de lâcher un « oh, ma pauvre ! » qui ne me laissait aucune chance de me leurrer encore. Je protestais intérieurement, argumentant de leur totale insensibilité à mes pauvres trésors passés. Chacun ne s'attache qu'à ses propres bricoles, babioles ou broutilles, celles des autres n'ont pas d'intérêt. C'est toujours facile de jeter ce qui n'a aucune valeur sentimentale à nos yeux. Se séparer de nos propres souvenirs, ce n'est pas jeter, c'est s'amputer. Le détachement est rarement instantané. Il demande une longue métamorphose intérieure, un travail de patience, une mise à l'épreuve sans cesse renouvelée.

L'oscillation entre nostalgie et accablement variait d'un moment à l'autre. Certains jours, je transportais des caisses entières de livres (diable que le papier est lourd!), déménageais des boîtes de linge et de vaisselle (en prévision d'une éventuelle maison de campagne), pliais des vêtements à donner, jetais ce qui était à jeter, mettais de côté ce que je voulais essayer de vendre. D'autres jours, le découragement l'emportait, la paralysie m'immobilisait. J'en voulais à mes parents de n'avoir pas pensé à faire eux-mêmes ce grand nettoyage.

J'espérais vendre des meubles, des objets encombrants qui ne pouvaient prendre place chez moi ; l'humiliation fut grande de ne pas trouver d'acquéreur au juste prix. Mes parents avaient-ils mal évalué la valeur ou la qualité de leurs choix ? Le marché avait-il changé entre-temps ? J'étais vexée pour eux. J'abandonnai l'idée d'obtenir de l'argent, je les offris. Le plaisir de donner était sans ambivalence.

Je me tournai à nouveau vers leurs boîtes emplies de souvenirs. Les miens se mêlaient aux leurs. L'adresse d'un hôtel à Calella de Palafrugell où j'avais passé les vacances de mes sept et huit ans réveilla le portrait d'un jeune garçon qui m'avait plu. Vif comme l'éclair, volubile, taquin, un peu bandit, je l'élus parmi tous les enfants avec qui je jouais. Lors d'une promenade que nous fîmes seuls parmi les pins, tout intimidés de nous éloigner de nos compagnons, je fixai un petit caillou sur le chemin, me promettant de ne jamais l'oublier. La pierre et le garçon sont restés dans ma mémoire, soudain réveillée dans ces circonstances singulières. Du garçon je ne me rappelle pas le nom, mais il n'est pas impossible qu'il ait guidé selon des voies souterraines mes choix amoureux.

Vieux dépliants touristiques, magazines démodés, notes de téléphone obsolètes, je fourrais allègrement tout ce qui me tombait sous la main dans de grands sacs-poubelle. C'était un jour faste. Aucune peine, nulle culpabilité n'entravait mon action. Les rayonnages du grenier se vidaient enfin. J'éprouvais une joie sans mélange. Une grande boîte aux motifs rouge et vert suspendit mon enthousiasme. J'y découvris soigneusement entreposées des dizaines de serviettes en papier venues de cafés et de restaurants du monde entier. Je voulus les jeter tout aussitôt, hésitai un instant puis les examinai plus attentivement. Au bas de chacune d'elles, la fine écriture de ma mère, ferme et déliée, se détachait clairement, imprimant à ces papiers anodins une émotion inattendue, véritable, légère et persistante. Vacillante, enfermée dans le petit grenier obscur, alors qu'un soleil éblouissant rayonnait à l'extérieur, je me représentai l'étrangeté de cette collection, l'absurdité de ma situation. Par quelles puissances infernales étais-je retenue comme Perséphone sous terre, à l'écart de toute vie, de toute lumière ? C'est à cet instant que l'idée d'écrire ces pages m'est venue.

Papiers gaufrés, imprimés, à motifs de vichy rouge et blanc comme d'authentiques serviettes en toile, marqués de noms exotiques, de lieux lointains, de slogans, de dessins attrayants ou ridicules, je vous ai ramenés sur ma table de travail. À la manière d'un classement de Perec ou d'un inventaire de Prévert, vous vous enchaîniez les uns aux autres. Je ne pouvais vous précipiter dans le vide sans prendre note de l'étrange chapelet que vous formiez : Ventimiglia, le 29 août 1988, « Casa del Caffe » ; Orléans, le 2 mars 1983, « Les Musardises »,« pâtisserie exclusivement au beurre fin » ; Bruges, le 18 juin 1983, « Brasserie Lyrique » ; Copenhague, le 15 novembre 1981, « Hôtel Scandinavia ». Le « Scaramouche » à Amsterdam, le « Casanova » à Milan, un restaurant japonais à Hambourg, un bar grec à Rotterdam dessinaient une géographie sans queue ni tête, comme ces dessins en pointillés dont on ne connaît le sens qu'une fois tous les points reliés.

Les choses occupent dans l'imaginaire de ceux qui les gardent une place singulière, prégnante, indissociable des liens parfois labyrinthiques qu'ils nouent ensemble. Elles n'échappent pas aux halos de mystère dont on les pare. Étrangère à la passion qui animait ces serviettes en papier et leurs propriétaires disparus, je ne pouvais les rencontrer que par effleurement. Leurs trajets me resteraient inconnus.

Qu'auraient pensé mes visiteurs occasionnels s'ils m'avaient surprise soulevant une à une ces serviettes, dressant leur inventaire plutôt que de les précipiter dans la corbeille à papier ? que j'avais un grain ? que j'y serais encore dans un an ? qu'il fallait y mettre plus de méthode et moins de sentiments ? que je ne devais pas tout garder, ni tout regarder avant de m'en séparer ? que cela frisait le ridicule ?

Peut-être était-ce ma façon à moi de payer

le prix d'une sensation de plus en plus vive de joie de vivre. Pouvais-je le dire ?

Je ne voulais pas que vider la maison de mes parents soit synonyme d'abandon et d'anonymat. Je n'avais donc pas appelé un vide-grenier, un de ces horribles prédateurs qui vous envoient hypocritement leurs condoléances au lendemain des funérailles en vous suggérant de les laisser pénétrer dans votre détresse, et ainsi dans votre maison pour vous soulager en un tournemain du contenu de tous vos souvenirs : les colifichets avec les trésors cachés (bien sûr, ils ne se présentent pas ingénument), les vieux bouts de ferraille, les outils rouillés en même temps que les pots en cuivre rustiques qui créeront l'atmosphère fermette dans les vitrines des antiquaires, les vieux téléphones dont il faut tourner le lourd cadran de métal noir, qui deviendront bientôt « tendance », les instruments qui jadis permettaient le bel ouvrage, le travail bien fait, l'adéquation entre le geste et la fonction, la main et la matière – dont plus personne ne veut aujourd'hui parce qu'ils sont synonymes de travail et de patience et que le mot d'ordre est sans réplique : le plaisir instantané –, mais que les brocanteurs vendront bientôt à prix d'or pour faire rêver les acheteurs « postmodernes ». Les vieux disques vinyle que l'on s'arrache déjà, les cartes routières périmées, les anciens guides de voyage – quasi historiques, car le présent s'amourache d'un passé très récent pour le déclarer *vintage* : fauteuils aux couleurs fluo rose et orange des Sixties, buffets bas sur pieds, « copie Knoll garantie », assiettes au design scandinave, cendriers-soucoupes volantes, poufs ronds, tentures aux motifs psychédéliques, bijoux et vêtements *peace and love* venus des Indes… Tout un bric-à-brac dont je ne savais que faire, mais que je n'avais pas le cœur de balancer par-dessus bord.

Toutes les époques se mélangeaient au fond du grenier et dans les différentes caves de la maison. J'aurais voulu convoquer assez de monde pour que chacun y fasse son miel, trouve chaussure à son pied, ajuste un couvercle dépareillé au pot ou à la boîte incomplète, mette la main sur le bibelot rare qu'il attendait depuis longtemps. Des dizaines et dizaines d'objets venus d'achats, de dons, de hasards de l'existence, étaient en déshérence, abandonnés à eux-mêmes. Plus personne ne les caressait, ne les époussetait, ne les couvait d'un regard jaloux et protecteur.

Les objets aussi deviennent orphelins. Il leur faut des parents d'adoption, de nouveaux amis, des propriétaires à nouveau exclusifs et furieusement jaloux qui prennent bien soin d'eux. Les objets souffrent d'être inutiles, à l'abandon, désœuvrés. Comment jeter par exemple des clés sans attribution ? Je n'en connaissais plus la serrure – portes ou valises –, mais je ne pouvais me résoudre à m'en débarrasser sans autre forme de procès : comme si, quelque part dans l'univers, une porte ou une valise attendait d'être délivrée de sa prison par une clé oubliée. Je ne voulais pas les condamner à une attente sans fin.

Il me fallait donc impérativement trouver l'amateur de mes moutons à cinq pattes : un collectionneur de boîtes d'allumettes émerveillé par des exemplaires datant des années cinquante, un amoureux de vieux appareils photographiques, un chineur de compas, encriers, porte-plume et matériel de bureau d'avant l'ère informatique, ou au contraire quelqu'un qui recherchait les premiers modèles d'ordinateurs... Un bricoleur fana des fers à souder, pieds-de-biche, écrous, clous, burins, pinces diverses, cisailles et leviers en tout genre. Une couturière paten-tée qui voudrait toujours avoir sous la main quinze nuances de fil bleu ou beige, des épingles en pagaille, des aiguilles pour toutes les étoffes (du coton au cuir en passant par la toile de bateau), des ciseaux professionnels, des patrons et coupes de tissu multicolores, des chutes d'étoffe ou de doublure « qui peuvent toujours servir ».

Où dénicher quelqu'un qui voudrait apprendre le russe (grand choix de méthodes), « le » chercheur en quête des numéros d'une revue suisse de littérature, *La Guilde du Livre*, entre 1947 et 1964, un collectionneur d'échantillons de parfums, mais aussi de gants uniques, de chaussettes sans jumelles, et la panoplie complète des crèmes solaires achetées depuis quinze ans au moins, sans compter celui ou celle qui se réjouirait d'acquérir des rasoirs électriques de toutes les marques, des boîtes de savon des hôtels du monde entier, des brosses à dents de voyage, des bouteilles d'alcools internationaux, des agendas en cuir vierges, des machines à calculer miniatures, des moules à gâteaux de toutes les formes, des pinces à sucre, d'autres pour tenir les asperges (qui a jamais pu les inventer ou s'en servir ?), des petites cuillères argentées encore dans leur présentoir de velours, et autres cadeaux accumulés au fil des ans sans avoir été ouverts ? Sans parler de la collection de couvercles de camembert, des livres sur les champignons, des centaines de boîtes pour la congélation, des milliers de boutons, des centaines de milliers de mouchoirs en papier et des millions de petits clous ?

Mais que faire des portraits de famille dont on avait oublié les protagonistes, qui demeuraient sans noms au fond d'un carton, orphelins non pas d'ascendants mais de descendants capables de les nommer (sans doute est-ce le sort qui nous attend tous), dont personne ne pourrait désormais noter à l'envers de la photographie pâlie le petit nom par lequel ils étaient connus ?

Plus personne non plus pour porter ces vêtements à l'allure désuète, ces lunettes de soleil aux formes démodées – à moins que la mode ne revienne, mais elle ne revient jamais quand on a besoin d'elle –, ces pantalons de ski « fuseaux », ces chaussures de ski en cuir noir si raides et pesantes que je me demandais comment un pied humain avait jamais pu les supporter sans se révolter à chaque pas. Qui voudrait ces magnétophones aux bandes rondes, ces appareils à visionner des diapositives, ces mélangeurs de cocktail, ces assiettes à compartiments pour les cacahuètes, ces poivriers innombrables, ces collections de sucres dans des pots de bonbons à l'ancienne, ces pots à épices en plastique qui tournent sur un plateau, ces décapsuleurs « Cinzano », ces piques à fromage avec un petit cochon au bout ? À qui offrir les quatre boîtes de fer sur lesquelles était écrit Farine, Sucre, Biscuits, Café, les bols en cristal taillé à côté des chopes à bière, des petits tonneaux de bois, des beurriers d'aluminium, des plateaux pour toutes les occasions, des piles de nappes, serviettes, sets de table en coton, lin, paille, dentelle et polyester ? Qui pourrait se réjouir de recevoir ces verres à vodka, whisky, bourgogne, cognac, limonade ou porto, ces flûtes et coupes dépareillées pour le champagne, seau à glace, pince à glaçons, thermos à café, réchaud de camping, lampes de poche, ouvre-bouteilles, couverts à salade en bois d'olivier, cadres vides, sacs de plage, outils de jardin, bracelets de montre sans montre ?

Et cinq kilos de chandelles en morceaux, qui les désirerait jamais ? Penauds et entassés au fond de plusieurs boîtes à biscuits, longs et minces, trapus ou minuscules, ces tronçons de bougies de toutes les couleurs de l'arc-en-ciel donnaient raison à l'expression « des économies de bouts de chandelle ». Je

ne savais pas si je devais en rire ou en pleu-
rer. La tendresse l'emporta sur la dérision. Je
ramenai chez moi ces bougies qui avaient
brûlé à leur table et les fis briller à la mienne.
J'aurais aimé allumer toutes ces lumières,
n'en jeter aucune avant de les avoir regardées
fondre lentement et s'éteindre d'elles-mêmes.

Pourquoi avais-je tout mené tambour
battant jusqu'ici et puis soudainement me
laissais-je attendrir par le moindre bout de
ficelle, de cire, de papier, d'étoffe de rien
du tout?

# Sens dessus dessous

> Elle éprouvait cette espèce de volupté
> qu'il y a, quand on détruit en ran-
> geant, à voir le vide prendre la place
> des objets.
>
> HENRY DE MONTHERLANT

Stop! Assez! *Basta cosi!* Jetons, jetons, sans regarder surtout, assez de sentiments à quatre sous! Fourrons gaiement dans de grandes poubelles des pages et des pages de vieux papiers, les doigts noirs de poussière et la gorge irritée. Jetons les boîtes sans usage défini, les livres tombant en ruine, les vieux appareils électriques, les objets usés, fanés, desséchés, pourris, absolument dénués de tout intérêt, tout ce fourbi d'épaves diverses!

Donnons congé à notre passé ! Toutes ces choses familières que nous avons aimées un jour ne sont plus que vieilleries encombrantes. Il faut nous en séparer, joyeusement. Célébrer la victoire de la vie sur la mort.

Prendre possession des trésors pauvres ou riches de nos parents fait de nous d'odieux pirates, des rapaces impitoyables. Il faut cependant que la maison se vide. Visiblement.

J'avais très peur d'être engloutie sous le flot des meubles, objets et archives qui ne paraissait nullement décroître, tout au contraire. La maison n'avait jamais été aussi désordonnée du vivant de mes parents. Il y avait des amas brinquebalants de choses disparates partout autour de moi, sur les chaises, par terre, dans des boîtes, sur les marches d'escalier, rebords de fenêtre, lits, tables, évier de cuisine, absolument partout.

Un vrai marché aux Puces, un déballage total.

Rester plus d'une heure, une heure et demie dans ce capharnaüm m'était impossible. Je ne procédais pas dans l'ordre, je m'éparpillais, changeais souvent de pièce, m'attelant tantôt à une rangée de bibliothèque dans le salon, tantôt à une ou deux planches d'une armoire de la cuisine ou à un tiroir du secrétaire, comme si c'était moins éprouvant de ne pas m'imposer une marche à suivre systématique. Ce qui mettait fin à chaque visite, c'était la sensation de plus en plus oppressante que j'avais épuisé l'énergie émotionnelle dont je disposais à tourner le couteau dans la plaie des souvenirs.

Avant de quitter les lieux, minée par l'impression que je ne viendrais jamais à bout d'un tel champ de bataille, je regardais de-ci de-là autour de moi à la recherche d'une collection d'objets dont il serait aisé de décider le sort collectif. Non pas une seule chose à la fois, longuement pesée, évaluée, tournée et retournée dans les mains, mais bien un tiroir entier, un pan de bibliothèque, un ensemble non trié. Qu'il doit être agréable de trancher d'un mot bref et définitif : Pour la Croix-Rouge ! À jeter ! À déposer à la salle des ventes ! À emmener chez moi !

Hériter, n'est-ce pas choisir, décider souverainement ?

Dans cette atmosphère, j'aimais particulièrement donner. Donner dans un élan, sans réfléchir, en faisant confiance à mon intuition, sentir que tel vase noir à fleurs dorées conviendrait à l'un, et telle coupe aux lignes pures à l'autre… Rapprocher les choses et les gens. Jouer à la marieuse. J'aimais offrir et j'aimais le petit morceau de vide qui s'ensuivait. Il ne fallait pas tergiverser, hésiter. Tout se jouait en un instant. C'était un moment de grâce, un échange inhabituel : je recevais en donnant. Je donnais pour recevoir. J'étais moi et j'étais l'autre. Je transformais mon héritage en dons multiples.

Une cafetière, une loupe, un téléphone, des tentures, un casse-noisettes, une collection de pipes, un chapeau mexicain, une plante, une chignole, une scie sauteuse, une série de taille-crayons, un grille-pain, une boîte entière de verres à champagne en cristal taillé!

En donnant je n'étais pas celle qui donnait, mais la personne qui recevait le don : un premier appareil photo à une très jeune fille, un manteau de fourrure à ma belle-sœur, un grand calendrier de reproductions de Magritte à un ami qui allait emménager dans un nouvel appartement. Je le remerciai d'accepter, par la même occasion, d'emporter la table ronde et les six chaises bleues de la salle à manger, le divan orange, le lit et l'armoire en bois clair, les deux chevets du même bois, et mille autres choses ménagères dont une grande plante verte et des éléments de cuisine retaillés sur mesure! Ainsi aurais-je un jour le plaisir de revoir ces objets familiers dans leur deuxième ou troisième vie.

Parfois les choses trouvaient de nouveaux partenaires surprenants : ainsi la grande télévision, dont l'image, après une chute, était devenue bleue sur le côté droit et que personne ne voulait plus, fut donnée à une vieille dame aveugle qui ne regardait pas la télévision mais l'écoutait, et s'en trouva fort aise. La coiffeuse au grand miroir reçut une nouvelle place dans la chambre d'une famille indienne musulmane qui en voila aussitôt artistiquement la glace.

Donner est un grand bonheur. Ce que j'offrais, ce n'était pas un objet. L'objet est un véhicule, un prétexte, il transmet de l'assurance, de la sécurité, de la confiance. Je donnais ce que je n'avais pas reçu : mes parents ne m'avaient jamais rien confié sans me mettre en garde : « Fais attention ! Ne casse pas ! N'abîme pas ! Ne jette pas ! N'en use surtout pas à ta guise ! Ce n'est pas vraiment à toi, c'est encore à nous ! Nous ne te le donnons pas, cet objet, c'est un prêt, un peu contre notre gré, comporte-toi avec non pas comme toi-même mais comme nous le ferions, ce dont tu es incapable évidemment puisque tu as deux mains gauches ! »

Les objets étaient-ils plus importants à leurs yeux que leur fille ? Le soin maniaque avec lequel ils les entouraient me faisait réagir à l'inverse, leur donnant, malgré moi, raison. J'aurais tellement aimé qu'ils m'invitent à en user librement, qu'ils m'offrent non pas un objet mais sa jouissance : « C'est à toi, tu agiras avec comme bon te semble, fais à ta guise, nous n'avons aucune méfiance à ton égard, aucune restriction, nous ne doutons pas que tu en feras ce qui est adéquat

147

pour toi (c'est toi qui comptes et non pas cet objet), réalise tes expériences! Tu peux salir, casser, jeter, perdre, cela n'a pas d'importance! Jouis-en! »

Je me mis en quête d'étudiants ne possédant encore à peu près rien et ayant besoin de quasiment tout. Je leur proposai d'emporter tout ce qu'ils souhaitaient emmener. Ébahis mais ravis, ils embarquèrent dans le désordre fauteuils, sofas, chaises, tabourets, bols à punch, plateau à fromages, boomerang australien, matelas, coussins, nappes, bougeoirs, lampadaires, lance africaine, essoreuse à salade et livres pour se divertir, *L'Art de plier des serviettes pour décorer la table*, *Comment lire son avenir dans les cartes* ou *Les 1 000 astuces pour se simplifier la vie*, sans oublier quelques ratons laveurs.

Ils s'en allèrent chargés et heureux. J'étais légère.

# La traversée du deuil

Ce livre s'est imposé à moi comme une évidence. Assaillie par des émotions diffuses, ambiguës, violentes, souvent incompatibles entre elles, les mots jaillissaient d'eux-mêmes. Écrire captait le flot bouillonnant des affects. L'écriture naissait du deuil et lui offrait un refuge. Un lieu où se mettre à l'abri avant d'affronter de nouvelles vagues malaisées à contenir.

L'expérience du deuil se vit dans la solitude. Il n'est pas seulement douleurs et chagrins. Agressivité, colère, rage sont aussi au rendez-vous. On l'admet difficilement : les morts et les nourrissons ne sont censés

éveiller que des sentiments tendres, respec-
tueux, convenus. Tout excès est banni. Quel
mensonge !

La psyché est bien plus mélangée. Elle est
faite de mouvements imprécis, de tour-
ments et de retournements incessants, elle
n'est jamais lisse, pure, univoque. Autour de
la mort et de la naissance (de la maladie, de
la rencontre, de la séparation amoureuse,
etc.), les sentiments se pressent dans un élan
si vif qu'ils nous déstabilisent, nous bousculent par leur puissance et leur désordre. Ce
sont des moments d'intense remaniement
intérieur. Ils nous entraînent à explorer des
chemins jamais parcourus, à rouvrir des
pistes mal balisées, à oser franchir des obs-
tacles qui paraissaient impossibles à affronter. Ils nous conduisent au-delà de nous-
mêmes.

Devenir orphelin, même tard dans la vie,
exige une nouvelle manière de se penser. On

parle du travail du deuil, on pourrait dire aussi rite de passage, métamorphose.

Les arêtes vives des premières douleurs s'émoussent, hébétude et protestations font place à une lente acceptation de la réalité. Le chagrin se creuse. Avec des moments de vide, d'absence, de tumulte. Plus tard se répand une tristesse empreinte de douceur. Une tendre peine enveloppe l'image de l'absent en soi. Le mort s'est lové en nous. Ce cheminement ne connaît pas de raccourcis. On n'y échappe pas. La mort appartient à la vie, la vie englobe la mort.

Vider la maison des disparus exacerbe l'épreuve du deuil, en accuse tous les traits. Cette tâche révèle comme une analyse chimique la moindre particule de nos attachements, de nos conflits, de nos désillusions. Même les endeuillés qui font venir des « vide-tout » ne peuvent faire l'économie ni de leur mémoire ni de leur douleur. Chacun

s'y plonge. Mais il est un temps pour le chagrin et un temps pour la joie.

Proserpine, après avoir passé les mois
d'hiver sous la terre, revient à la lumière
du soleil, elle ensemence les champs et les
vergers. Fleurs et fruits renaissent. Il n'est
pas bon de s'enfermer dans la mélancolie.

Je n'ai pas envie de mettre un point final
à ce livre

# Table

# L'auteur

Lydia Flem a publié notamment :

*La Vie quotidienne de Freud et de ses patients*, Hachette, 1986 ; traduit en italien (Rizzoli, Milan, 1987), en portugais (L&PM, Brésil, 1988), en espagnol (Ariel, Mexico, 1996), en russe (Palimpsestes, Moscou, 2003).

*L'homme Freud*, Seuil, 1991 ; traduit en espagnol (NuevaVision, Argentine, 1992), en allemand (Campus, Francfort-sur-le-Main, 1993), en portugais (Campus, Brésil, 1993), en grec (Psichogios, Athènes, 2001), en anglais (Other Press, États-Unis, 2003).

*Casanova ou l'Exercice du bonheur*, Seuil, 1995 ; traduit en anglais (Farrar, Straus and Giroux, États-Unis, 1997, et Penguin Books, Londres, 1998), en allemand (Europäische Verlagsanstalt, Hambourg, 1998 ; repris en poche par Piper Verlag, Munich, 2000), en espagnol (Ediciones de la Flor, Argentine, 1998), en suédois (Bokförlaget Korpen, Göteborg, 1999), en chinois (Locus, Taipei, 2000).

*La Voix des amants*, Seuil, 2002.

# La librairie
## du XXIe siècle

Paul Celan et Gisèle Celan-Lestrange, *Correspondance*.

Michel Chodkiewicz, *Un océan sans rivage. Ibn Arabî, le Livre et la Loi*.

Antoine Compagnon, *Chat en poche. Montaigne et l'allégorie*.

Hubert Damisch, *Un souvenir d'enfance par Piero della Francesca*.

Michel Deguy, *À ce qui n'en finit pas*.

Daniele Del Giudice, *Quand l'ombre se détache du sol*.

Daniele Del Giudice, *L'Oreille absolue*.

Daniele Del Giudice, *Dans le musée de Reims*.

Mireille Delmas-Marty, *Pour un droit commun*.

Marcel Detienne, *Comparer l'incomparable*.

Marcel Detienne, *Comment être autochtone. Du pur Athénien au Français raciné*.

Milad Doueihi, *Histoire perverse du cœur humain*.

Jean-Pierre Dozon, *La Cause des prophètes. Politique et religion en Afrique contemporaine*, suivi de *La Leçon des prophètes* par Marc Augé.

Norbert Elias, *Mozart. Sociologie d'un génie*.

Rachel Ertel, *Dans la langue de personne. Poésie yiddish de l'anéantissement*.

Arlette Farge, *Le Goût de l'archive*.

Arlette Farge, *Dire et mal dire. L'opinion publique au XVIIIᵉ siècle*.

Arlette Farge, *Le Cours ordinaire des choses dans la cité au XVIIIᵉ siècle*.

Arlette Farge, *Des lieux pour l'histoire*.

Arlette Farge, *La Nuit blanche*.

Lydia Flem, *L'Homme Freud*.

Lydia Flem, *Casanova ou l'Exercice du bonheur*.

Lydia Flem, *La Voix des amants*.

Nadine Fresco, *Fabrication d'un antisémite*.

Marcel Gauchet, *L'Inconscient cérébral*.

Jack Goody, *La Culture des fleurs*.

Jack Goody, *L'Orient en Occident*.

Anthony Grafton, *Les Origines tragiques de l'érudition. Une histoire de la note en bas de page*.

Charles Rosen, *Aux confins du non-sens. Propos sur la musique.*

Israel Rosenfield, « *La Mégalomanie* » *de Freud.*

Francis Schmidt, *La Pensée du Temple. De Jérusalem à Qoumrân.*

Jean-Claude Schmitt, *La Conversion d'Hermann le Juif. Auto-biographie, histoire et fiction.*

Michel Schneider, *La Tombée du jour. Schumann.*

Michel Schneider, *Baudelaire. Les années profondes.*

Jean Starobinski, *Action et Réaction. Vie et aventures d'un couple.*

Antonio Tabucchi, *Les Trois Derniers Jours de Fernando Pessoa. Un délire.*

Antonio Tabucchi, *La Nostalgie, l'Automobile et l'Infini. Lectures de Pessoa.*

Antonio Tabucchi, *Autobiographies d'autrui. Poétiques a posteriori.*

Emmanuel Terray, *La Politique dans la caverne.*

Emmanuel Terray, *Une passion allemande. Luther, Kant, Schiller, Hölderlin, Kleist.*

Jean-Pierre Vernant, *Mythe et Religion en Grèce ancienne.*

Jean-Pierre Vernant, *Entre mythe et politique.*

Jean-Pierre Vernant, *L'Univers, les Dieux, les Hommes. Récits grecs des origines.*

Nathan Wachtel, *Dieux et Vampires. Retour à Chipaya.*

Nathan Wachtel, *La Foi du souvenir. Labyrinthes marranes.*

Catherine Weinberger-Thomas, *Cendres d'immortalité. La crémation des veuves en Inde.*

Natalie Zemon Davis, *Juive, Catholique, Protestante. Trois femmes en marge au XVIIe siècle.*

RÉALISATION : PAO ÉDITIONS DU SEUIL
IMPRESSION : IMPRIMERIE HÉRISSEY À ÉVREUX (EURE)
DÉPÔT LÉGAL : MARS 2004. N° 65381-4 (97019)
IMPRIMÉ EN FRANCE